D0193339

Afin de vous informer de toutes ses publications, **marabout** édite des catalogues régulièrement mis à jour. Vous pouvez les obtenir gracieusement auprès de votre libraire habituel.

Sandrine Gerin

ET S'IL ÉTAIT SURDOUÉ ?

*Découvrir, comprendre, élever et
vivre avec un enfant précoce*

•MARABOUT•

© **Marabout**, 2000.

Toute reproduction d'un extrait quelconque de ce livre par quelque procédé que
ce soit, et notamment par photocopie ou microfilm, est interdite sans autorisation
écrite de l'éditeur.

« Vous êtes les arcs par qui vos enfants,
comme des flèches vivantes, sont projetés.
L'Archer voit le but sur le chemin de l'infini,
et Il vous tend de sa puissance
pour que Ses flèches puissent voler vite et loin.
Que votre tension par la main de l'Archer soit pour la joie;
Car de même qu'Il aime la flèche qui vole,
Il aime l'arc qui est stable. »

Le Prophète
Khalil Gibran

SOMMAIRE

AVANT-PROPOS

Allongée sur le dos, la future mère caresse déjà avec fierté son ventre arrondi par près de neuf mois de grossesse. A la naissance, la beauté de son enfant ne fait aucun doute dans son esprit, même si le crâne du bébé est déformé par les forceps, sa peau fripée et qu'un fin duvet brun recouvre son corps. Au fil des mois, passés les premiers échanges, pères et mères s'émerveillent chaque jour davantage de l'éveil de leur enfant. On observe tous ses gestes, signes de ses indéniables progrès et chaque étape franchie a quelque chose de rassurant. Et cela est d'autant plus vrai lorsqu'il s'agit de son premier enfant.

Comme toutes les jeunes mamans, après avoir été éblouie par le premier sourire, le premier mot, le premier pas, le premier dessin, la première dent, la première phrase, le premier « ze t'aime »..., un jour ou l'autre, on cherche à comprendre pourquoi notre enfant nous émerveille tant. A-t-il réellement quelque chose de plus que les autres ? A nos yeux, sans aucun doute. Nul ne pourra nous empêcher de penser qu'il est le plus beau, le plus malin, le plus câlin, le plus doué, le plus attendrissant, le plus attachant, le plus mignon, le plus charmeur, le plus, le plus.... mais tout cela, on le voit avec nos yeux de parents. C'est-à-dire avec une absence totale d'objectivité. Et comme pour se rassurer, et correspondre à une certaine « normalité », on épie les faits et gestes des autres enfants, on se renseigne, on questionne les parents sur les bancs des squares, dans les magasins et les salles d'attente des pédiatres, on étudie, on compare, on mesure, on calcule, on évalue l'éveil d'un enfant à l'autre. Et parfois, une question effleure nos lèvres : et si notre enfant était surdoué ?

Alors, que penser du mot « surdoué » ? Qu'est-ce qu'un enfant précoce ? Où est la « normalité » ? Qui peut déceler la précocité d'un enfant ? Est-ce réellement un avantage ?

A chaque étape de la vie de l'enfant, des questions et des doutes surgissent, qu'il s'agisse de ses capacités intellectuelles ou physiques.

A trois ans, la première rentrée scolaire est toujours empreinte d'émotions. Cette séparation, premiers pas dans la cour des grands, nous pousse encore une fois à évaluer ses aptitudes. On questionne la maîtresse, que l'on considère en mesure de « juger » les facultés intellectuelles de notre progéniture. Est-ce que tout va bien ? Est-il normal ? Apprend-il bien ? Participe-t-il en classe ? Où se situe-t-il par rapport aux autres ? On reste ébahi devant le premier dessin réellement représentatif, on cherche à deviner des signes, des semblants d'écriture, des interprétations de gribouillages. On s'extasie devant les poèmes, et le premier cadeau de « fête des mères » est considéré avec la plus grande attention. Devant notre insistance, la maîtresse réplique que « *tout se passe bien, Jules est discipliné, et participe activement en classe* »… mais bien des mamans aimeraient entendre la petite phrase clé qui leur apporterait la preuve que leur chérubin est bien différent des autres : « *Oui, oui, Jules se débrouille vraiment bien… très bien, même. D'ailleurs je souhaitais en parler avec vous !* » Et de voir la maman dudit Jules couver fièrement du regard son enfant.

Après trois années de maternelle, alors que certains enfants ont d'évidence « sauté » une classe, étant nés en début d'année et que leur maturité ne fait aucun doute, notre bambin, devenu un jeune garçon en culottes courtes, fait son entrée en CP. Cette classe est souvent considérée — à tort — par les parents comme le début de la véritable instruction, celle « où l'on apprend ». En réalité, les apprentissages débutent dès la première année de maternelle, avec la découverte des règles de la vie collective, élément charnière de ce niveau et garant d'une bonne intégration scolaire.

Avant cette fameuse rentrée en CP, certains parents, dans le souci de « bien faire », auront déjà fait travailler leur enfant pendant tout l'été, espérant ainsi lui donner les moyens de progresser plus vite. D'autres chercheront à le pousser dès la première semaine de cours, guettant les premières notes et n'hésitant pas à enquêter auprès des autres mamans pour savoir où se situe leur enfant par rapport aux autres.

Il est vrai qu'au bout de quelques mois déjà, et par le système de notation, on découvre les premiers et les derniers de la classe. Une situation qui peut évoluer, bien sûr, au cours de l'année scolaire. Mais déjà on cherche des raisons à ces réussites et à ces « retards ». Les parents veulent justifier les bonnes notes des premiers, pendant que les autres tentent d'expliquer les mauvais résultats de leur enfant.

Derrière toutes ces questions, on ressent la fierté — légitime — des parents de voir leur enfant s'épanouir. Avec parfois trop d'espoir et d'impatience d'apprendre que leur enfant est réellement plus doué que les autres. Mais, pour près de 98 % des parents, il faudra se rendre à l'évidence : non, il n'a rien d'extraordinaire si ce n'est qu'il reste, à leurs yeux, exceptionnel.

Pour tous ces parents qui s'interrogent ou qui voient en leur enfant la huitième merveille du monde, j'ai voulu écrire ce livre. Il n'est rien de plus normal que votre enfant s'épanouisse, s'éveille au monde, progresse, et éprouve parfois quelques difficultés. Tous les enfants sont différents dans leur croissance, leur physique, leur intellect, leur affect. Ces dernières années ont été marquées par un élan médiatique autour des enfants surdoués. Si certains parents sont fiers (trop, parfois !) de cette précocité, l'enfance et l'adolescence des surdoués sont, pour quelques-uns, loin d'être un « long fleuve tranquille ». En effet, il n'est pas facile de gérer cette précocité, tant pour les enfants que pour leurs parents.

Je ne suis ni scientifique, ni médecin, ni thérapeute, ni psychologue, ni enseignante. Je suis seulement une femme, mère de deux enfants qui, comme tant d'autres, s'interroge. Issue d'une fratrie qui comptait un enfant précoce, avec une maman qui a travaillé aux côtés d'enfants surdoués, j'ai côtoyé les questions et les doutes des familles. Ce sont des rencontres avec des psychologues pour enfants, des enseignants, des éducateurs, des témoignages d'enfants précoces, des enfants précoces devenus adultes, des parents d'enfants précoces ou non, qui ont nourri ce livre.

Chacun défendant sa théorie et son point de vue, avec un jugement et une opinion souvent tranchés sur la question, chaque partie militant ardemment pour ses valeurs, j'ai tenté, au milieu de ces méandres de théories parfois totalement opposées, de rester neutre. J'ai voulu ouvrir les yeux des parents, poser les questions et leur apporter des réponses nées de témoignages et de bon sens. Donner des pistes, guider, proposer des choix, telles ont été mes envies. Je suis donc volontairement restée en dehors de toute thèse, loin de toute psychologie pour n'être embrigadée ni par les uns, ni par les autres. J'ai eu envie d'écrire un guide résolument clair, qui réponde à vos questions de parents. J'ai cherché à savoir ce qu'était la précocité, comment elle était décelée, vécue par l'entourage et j'ai tenté de savoir comment l'enfant pouvait la vivre bien. Ce livre vise à mieux vous faire comprendre ce qu'est la précocité (les phénomènes psychiques, psychologiques, les évaluations intellectuelles, le décalage entre l'affect et l'intellect, etc.) et espère vous proposer des solutions concrètes aux questions que vous êtes en droit de vous poser, tant sur la scolarité que la socialisation, les relations familiales et fraternelles, la demande affective, le rythme scolaire, les études ou encore les activités extrascolaires de votre enfant. Les choix, tout au long de la vie de l'enfant puis de l'adolescent, auxquels les parents sont confrontés, sont difficiles. Les réponses que vous trouverez au fil des pages serviront de point de départ à vos réflexions.

Il y a quelques années encore, la télévision et les médias en général abordaient du bout des lèvres les questions liées aux enfants surdoués. Aujourd'hui, les émissions de grande audience donnent naissance à des débats enflammés et souvent alarmistes. Considéré pendant longtemps comme une « bête de cirque », l'enfant surdoué est aujourd'hui, à en croire les médias, souvent un jeune mal dans sa peau. Si les enfants précoces rencontrent, il est vrai, davantage de difficultés que les autres, nombreux sont ceux qui sont très heureux. Et quel que soit le quotient intellectuel de votre enfant, n'attendez de lui qu'une seule chose : qu'il soit un enfant puis un adolescent équilibré pour devenir un adulte épanoui. Et c'est à vous, parents, que revient le devoir de l'aider à atteindre cet objectif en lui offrant un cadre sécurisant et surtout, beaucoup d'amour.

ENFANT PRÉCOCE, SURDOUÉ, Q.I. : QU'EST-CE QUE CELA SIGNIFIE ?

Enfant précoce, surdoué, quotient intellectuel (Q.I.), génie, quotient émotionnel (Q.E.)… les médias, depuis plusieurs années, proposent régulièrement des débats et des articles sur la précocité ou le quotient intellectuel des petits ou des grands. Les magazines publient de soi-disant tests d'évaluations intellectuelles, illustrés par des exemples de réussites hors du commun. Sujet porteur, la possibilité de se positionner sur une échelle de référence attire de nombreux lecteurs.

On parle de précocité, de surdoués, de doués, d'intelligence… Les spécialistes eux-mêmes ne sont pas tous d'accord sur le vocabulaire approprié pour désigner ces enfants à l'intelligence hors norme. Les Anglo-Saxons emploient le mot « supergifted », que l'on traduit par sur-doué. Dans les pays francophones, certains parlent sans hésitation d'enfants surdoués tandis que d'autres préfèrent le terme « d'enfants précoces », ce qui signifie « être en avance ». Par la force des choses, un enfant précoce deviendra un adulte ayant un quotient intellectuel au-delà de la norme moyenne définie. On peut donc choisir de parler d'enfants *surdoués* ou d'enfants *précoces*. Nous alternerons, dans ce livre, l'utilisation des termes sans entrer dans les querelles de spécialistes.

Qu'est-ce qu'un enfant précoce ?

On sait qu'un enfant est surdoué lorsque son quotient intellectuel est supérieur à la norme moyenne des enfants de son âge. Outre ce quotient intellectuel élevé, il se distingue des autres enfants par ce que les psychologues spécialisés appellent le « syndrome de la dyssynchronie » :

• Leur développement intellectuel est en avance par rapport à celui d'autres enfants du même âge (même si ce développement n'est pas toujours équivalent dans tous les domaines).

• En revanche, leur développement affectif est dans la norme par rapport aux enfants de leur âge.

Les surdoués ont donc une maturité intellectuelle supérieure à celle de la moyenne des enfants de leurs âges mais une demande affective correspondant à celle des enfants de leur âge. Par exemple, un enfant de 8 ans peut avoir l'équivalence intellectuelle d'un enfant de 12 ans, mais il aura un besoin affectif d'un enfant de 8 ans.

Toutes les personnes ayant un quotient intellectuel élevé ne le découvrent pas toujours pendant leur enfance. Il arrive, même si cela est rare, que l'on découvre seulement à l'âge adulte que l'on possède un Q.I. hors normes. Mais si l'on ne découvre malheureusement pas tous les enfants précoces au cours de l'enfance, cette population ne représente cependant pas plus de 5 % d'une classe d'âge.

Contrairement à une idée répandue, cette précocité ne s'applique pas toujours à tous les paramètres de leur développement. Certains enfants surdoués seront en avance dans tous les domaines, d'autres seront plutôt en retard (par rapport à l'âge moyen) dans leur développement psychomoteur (acquisition de la marche, de la propreté), dans l'acquisition de leur autonomie affective, l'organisation de leur travail, etc.

Depuis quelques années, la recherche a permis de mieux considérer et comprendre l'enfant précoce. Aujourd'hui, la majorité des parents d'enfants surdoués sont prévenus des incidences de cette précocité et peuvent mieux aider leur enfant à la gérer. Si certains surdoués sont épanouis, il n'en demeure pas moins que le quotidien de ces enfants, leur socialisation, leur épanouissement et leur scolarité représentent souvent une difficulté pour les parents. Nos sociétés n'ont pas les structures scolaires, parascolaires et sociales adaptées à ceux et celles qui sont « hors normes ». Que l'on soit doté d'un quotient intellectuel élevé ou, au contraire, que l'on soit relégué au bas de l'échelle, il en résulte parfois dans les deux cas une difficulté à trouver sa place et à s'y sentir bien.

Dès lors que l'on n'entre pas dans un cadre préétabli et que le cursus, les besoins et les envies s'éloignent des données traditionnelles, il est parfois difficile de trouver son équilibre. Les parents d'enfant précoces, en connaissant les problèmes que peuvent poser ces enfants, sauront faire les bons choix. Et si beaucoup envient ces parents, il est parfois difficile pour ces derniers ayant, eux, un quotient intellectuel « normal », de comprendre ce qui se passe dans la tête de leur progéniture surdouée.

L'enfant surdoué, une invention du XXᵉ siècle ?

Remontons quelques années en arrière. Jusqu'à la fin du XIXᵉ siècle et au début du XXᵉ siècle, le nouveau-né était considéré comme un simple tube digestif, auquel il ne fallait prêter aucune attention mais seulement lui souhaiter de vivre des jours paisibles, partageant ses plaisirs entre les tétées et le sommeil en attendant qu'il gagne son autonomie (marcher, manger seul, parler). Il n'était pas encore question de stimuler son enfant, de l'éveiller, de jouer avec lui. Tant qu'il ne parlait pas, ce petit d'homme gémissant n'était pas bon à grand-chose. Pourtant, il existait autant de surdoués que de nos jours ; l'enfant précoce n'est pas une invention d'aujourd'hui. Dans la seconde moitié du XXᵉ siècle, guidé par les émules de la psychanalyse et, en France, sous l'influence de la psychanalyste Françoise Dolto, les mentalités ont évolué. On a observé l'enfant, tenté de le stimuler, de le considérer comme doté d'une intelligence remarquable et d'un potentiel intellectuel incontournable. Comme à chaque nouveau phénomène de société, ces influences psychanalytiques ont conduit certains parents, éducateurs ou psychanalystes, à une situation extrême avec une sur-stimulation psychologique et physique de l'enfant, par tous les moyens imaginables. Aux Etats-Unis, on enseigne même *in utero* aux fœtus, avec casque posé sur le ventre de la mère, des leçons entières d'histoire ou de langue ! On est en droit de se demander où se situe la limite ! Chacun jugera du bon niveau d'éveil pour ses enfants et de la stimulation équilibrante à leur offrir, tant pour leur bien-être que pour celui les parents.

Ces derniers sont à l'affût du premier sourire, du premier babil, à l'écoute du premier « *maman* » et « *papa* ». Même si l'on s'en défend, inconsciemment, on essaie de comprendre, de mesurer et de comparer les progrès de son enfant avec les autres. Le savoir « hors norme », dans un sens ou dans un autre, effraie toujours les parents. Malgré tout, une grande fierté à avoir donné naissance à un enfant précoce, la chair de sa chair, se ressent parfois chez certains.

Et si l'on peut tenter de stimuler son enfant sur un

plan physique ou intellectuel, malgré tous les efforts que les parents peuvent prodiguer pour éveiller leur chérubin, ce dernier naît avec une personnalité et un intellect donnés. Les parents pourront lui apporter une ouverture sur le monde, un soutien affectif et psychologique, et contribuer à lui inculquer des valeurs morales.

Des recherches pour décrire et comprendre l'enfant surdoué

Les chercheurs et psychologues américains ont été les premiers à mener des études sur les enfants surdoués. Dès 1920, des recherches sont entreprises sous l'impulsion du psychologue Lewis Terman qui réalisa plusieurs études sur le terrain, avec diverses classes d'enfants surdoués. Dans un premier temps, il chercha à savoir si des caractéristiques d'ordre psychologique, social et affectif étaient communes à ces enfants. Il s'intéressa ensuite à leur avenir et les suivit de l'enfance à l'âge adulte pour observer leur évolution, toujours en analysant leur comportement social, affectif et psychologique.

Ces études ont signifié le début d'une longue série d'observations des enfants surdoués qui se poursuivent d'ailleurs dans de nombreux pays. En France, les chercheurs et les psychologues s'intéressent depuis une trentaine d'années seulement aux enfants précoces. Un retard qui se mesure par le manque de structures et d'adaptations scolaires pensées pour eux. Sur le plan cognitif, les psychologues estiment que l'enfant doté d'un quotient intellectuel élevé dispose, de manière innée, d'outils et d'un potentiel d'exploitation des informations pour penser, qui ne sont pas les mêmes que ceux des individus « normaux ». Bien souvent, de jeunes enfants de 7 ans, surdoués, résolvent des problèmes qui leur sont posés sans même avoir conscience du processus qui leur permet de trouver la réponse exacte !

Si les études menées par Lewis Terman ont permis de mieux comprendre l'enfant surdoué, on tente aujourd'hui d'étudier le paramètre génétique de la précocité intellectuelle : y aurait-il, dans notre patrimoine génétique, des facteurs favorisant notre Q.I. ? Si les généticiens affirment que l'intelligence est à près de 80 % innée, et le reste acquis, personne ne peut l'affirmer scientifiquement. Ce facteur expliquerait peut-être que l'on trouve parfois plusieurs enfants surdoués au sein d'une même fratrie. Mais le débat est loin d'être tranché, car les théoriciens prétendent le contraire.

ÉVALUER LA PRÉCOCITÉ DE SON ENFANT

Un enfant est dit surdoué ou précoce lorsque son quotient intellectuel est supérieur à la norme moyenne des enfants de son âge. On ne peut donc parler de précocité que si l'on est en mesure d'apporter des indications fondées sur l'évaluation de son quotient intellectuel. Ce sont les résultats de cette évaluation qui peuvent affirmer ou infirmer qu'un enfant est surdoué et définir à quel niveau il se situe par rapport à la norme. Pour obtenir ce chiffre référence, l'enfant doit consulter un psychologue apte à faire passer des tests.

Longtemps décriée, entre autres par la communauté scientifique, la psychologie est aujourd'hui reconnue sur de nombreux points, et peu contestent la valeur de ces tests d'évaluation du quotient intellectuel.

Le Q.I. : évaluations, valeurs, tests

Le « Q.I. », abréviation de quotient intellectuel, est la représentation de l'intelligence sur une échelle établie jusqu'à 160. Cet indice permet de déterminer où se situe le quotient intellectuel d'un enfant parmi un groupe d'individus, et de savoir s'il est précoce ou non.

On considère qu'un enfant est surdoué dès que son quotient intellectuel dépasse la barre fatidique de 125, c'est-à-dire lorsque son avance intellectuelle est de 25 % supérieure à la moyenne obtenue par les enfants du même âge. Le Q.I. est donc un évaluateur. Bien que les enfants ayant un Q.I. de 125 soient considérés comme précoces, la majorité des associations et des écoles accueillant des jeunes surdoués acceptent les enfants à partir de 130 de Q.I. On estime que seulement 2 % des enfants d'une même tranche d'âge possèdent un Q.I. supérieur à 130.

Quelques chiffres

En France, il y aurait en théorie un peu moins d'un enfant surdoué par classe dans les écoles et la population totale des enfants surdoués serait de 750 000.

Les statistiques sont toujours très difficiles à avancer avec certitude, les tests d'évaluation n'étant pas obligatoires et certains surdoués n'étant découverts qu'à l'âge adulte. Et si le quotient intellectuel est une valeur référence donnée, seuls le travail, la connaissance, l'enrichissement culturel et intellectuel pourront nourrir l'esprit d'un individu et lui permettre de développer ses capacités.

Deux enfants différents pour un même Q.I.

Deux enfants possédant un quotient intellectuel de 140 peuvent révéler deux personnalités et deux capacités totalement différentes. Le chiffre qui détermine le quotient intellectuel est en réalité un indice moyen de résultats obtenus dans les différentes épreuves, que les psychologues appellent des « subtests ». On évalue ainsi

la maîtrise du langage, l'aptitude à compter, le raisonnement, la logique ainsi que la représentation et la percep-
tion de l'espace. D'un « subtest » à l'autre, l'enfant peut
obtenir des résultats très variables car un surdoué n'est
pas toujours en avance dans tous les domaines : il peut
être très brillant dans certaines matières, dans la norme
dans d'autres, voire en retard par rapport à la moyenne
dans quelques registres. Il faut donc ôter de notre esprit
l'idée que tous les enfants surdoués développent les
mêmes facultés. Chaque enfant, qu'il soit précoce ou non,
est différent.

Le Q.I. permet de déterminer un niveau global de
l'enfant relevant de ses aptitudes dans divers domaines. Il
est possible d'approfondir ce résultat par des tests complémentaires qui analysent plus en détail les capacités.
Grâce à cette détermination, parents et enfants pourront
prendre les bonnes orientations et faire les choix les plus
judicieux en fonction de l'enfant, de ses capacités et de sa
maturité.

C'est pourquoi, deux enfants se retrouvant avec le
même indice de Q.I. de 140 pourront avoir des notes très
différentes dans les « subtests », le Q.I. n'étant que la
note moyenne de ces résultats.

Le Q.I. réservé à une élite ?

Le Q.I. traîne avec lui de nombreux a priori qu'il
convient de rectifier. Une croyance populaire répand l'idée
que les surdoués proviennent de milieux sociaux aisés. Les
études ont démontré que l'on trouve autant d'enfants surdoués dans les milieux défavorisés qu'au sein des familles
de cadres supérieurs. La différence repose sur le fait que
dans ces familles, autrefois, les enfants faisaient l'objet de
plus d'attention et de suivi dans leur scolarité, et possé-
daient une plus grande culture générale qui permettait de

remarquer leurs facilités. Aujourd'hui, tous les enfants sont scolarisés et la précocité est plus rapidement décelée.

Cependant, il est toujours vrai que le niveau d'instruction de la famille en général, et des parents en particulier, permet à l'enfant de bénéficier d'une éducation plus large, de baigner dans un environnement riche en expériences, et d'avoir accès à un enrichissement culturel dans de nombreux domaines. Une famille plus modeste, mais dont les parents sont attentifs à l'éducation culturelle et intellectuelle de leur enfant, offrira aussi à ce dernier un cadre structuré et l'aidera à développer son potentiel. Mais il demeure malheureusement encore des enfants oubliés sur les bancs de l'école, parce que leurs parents considèrent la scolarité avec peu d'intérêt... et leur quotient intellectuel hors norme sera révélé alors qu'ils sont en échec scolaire.

Peu importe leur milieu social, les parents doivent être attentifs et scrupuleux à l'égard de leur enfant pour lui apporter dès le plus jeune âge un éveil adéquat : lui parler, raconter des histoires, stimuler ses sens, répondre à tous ses besoins de stimulation. Ainsi, l'enfant se sentira plus fort et entretiendra avec ses parents un échange qui lui convient ; les parents trouveront auprès de leur enfant, à mesure qu'il grandit, comment harmoniser leurs relations tout en lui apportant la connaissance, l'équilibre affectif et l'ouverture sur le monde qu'il réclame.

Des tests pour chaque tranche d'âge

Les tests sont adaptés à l'âge de l'enfant et permettent de dresser son profil psychologique et intellectuel. On a l'habitude, en France, de regrouper sous le même test, les enfants de moins de 6 ans, les enfants âgés de 6 à 12 ans, puis au-delà de 13 ans.

Le décalage
entre la précocité intellectuelle
et la demande affective

Plus le quotient intellectuel d'un enfant est élevé, plus le décalage entre son affect et son intellect est grand. Ce décalage qui existe entre la précocité intellectuelle et la demande affective est un facteur commun à tous les surdoués et générateur de difficultés pour les parents.

« *Comment dois-je m'adresser à mon fils de 9 ans,* se demande une maman. *Lorsque je suis en public, j'ai tendance à le considérer comme un adolescent, mais à la maison, au contraire, je lui fais plus de câlins qu'à sa sœur de 7 ans.* »

Hésitant parfois sur le comportement à adopter, les parents sont troublés par la complexité affective de leur enfant et ne savent comment répondre à sa demande. De nombreuses questions se posent : un enfant de 9 ans ayant la maturité intellectuelle d'un enfant de 13 ans, doit-il être toujours considéré comme un enfant de 9 ans dans sa demande affective ? Comment les parents peuvent-ils et doivent-ils s'adresser à lui ? Comment répondre à ses questions sur des thèmes sensibles tels que la sexualité ou bien la mort ? Qu'est-il en âge d'intégrer ? Cet enfant, souvent confronté à des enfants plus âgés, a-t-il la maturité nécessaire pour comprendre et s'intégrer dans un groupe ? Un jeune surdoué de 10 ans peut-il assimiler et partager les goûts, les hobbies, les envies, les besoins, les discussions d'adolescents de 13, voire 14 ans, dont il partage les bancs au collège ? Comment va-t-il vivre, et bien vivre ce décalage ?

Déstabilisés par ce déphasage, les parents éprouvent au quotidien des difficultés à répondre aux demandes de leur enfant. Ils doivent adapter et moduler leur comportement en fonction du besoin de l'enfant. Une grande écoute est donc nécessaire et indispensable.

Annoncer à l'enfant sa précocité

Chaque parent, selon ses origines sociales, sa culture, l'éducation qu'il a reçue et celle qu'il donne à ses enfants, aura une attitude différente pour gérer et comprendre la précocité de son enfant. Certains seront fiers, d'autres effrayés, voire indifférents ou incompréhensifs. Car, si les médias abordent plus volontiers le thème des surdoués depuis quelques années, les incidences de la précocité sur la vie sociale, familiale et scolaire de l'enfant sont, auprès du grand public, encore méconnues.

Quel que soit l'âge auquel on découvre qu'un enfant est précoce, il convient d'en parler avec lui. Pour trouver les mots justes, le psychologue qui a fait passer les tests saura vous aider et expliquer à l'enfant sa situation.

« Les enfants précoces portent souvent une étiquette négative. Les gens qui ne côtoient pas cette réalité ne savent pas vraiment ce qu'est un enfant surdoué et quelles difficultés il peut rencontrer, notamment dans sa vie sociale et affective. Pendant longtemps, je ne parlais jamais de ma fille, je ne voulais pas qu'on la considère comme une bête de foire », fait remarquer Marc, papa de Romane, 11 ans.

L'imaginaire collectif a répandu l'image de l'enfant surdoué comme un jeune sérieux, triste, asocial, lunettes posées sur le nez, sorte « d'ordinateur vivant », répondant, telle une machine, aux questions posées, n'hésitant pas une seconde dans ses choix, et sûr de lui. Chassons ces idées saugrenues et tentons de mieux comprendre l'enfant surdoué. Mais, avant de faire connaissance avec lui, l'enfant lui-même doit avoir conscience de sa situation et de sa différence. Il pourra ainsi gérer ses capacités et mieux vivre ses relations avec les autres, qu'il s'agisse de sa famille, de ses amis, de son entourage social et éducatif.

Lorsqu'un adolescent apprend qu'il possède un quotient intellectuel supérieur à la norme, cette révélation peut être vécue par lui comme une délivrance. Comprendre enfin pourquoi il est si différent des autres enfants peut l'aider à se sentir mieux dans son corps et dans sa tête. Il sera sans doute plus à l'aise en sachant que son comportement est guidé et influencé par sa précocité intellectuelle. Cette prise de conscience sera aussi vécue avec soulagement lorsque l'enfant se trouve en échec scolaire ou s'il connaît des difficultés liées à son environnement social (problèmes d'intégration dans un groupe, enfant solitaire…).

Surmonter les doutes et bien orienter ses choix

Les parents vont avoir des hésitations, des doutes plus ou moins marqués, tout au long de la vie scolaire, sociale et affective, de l'enfant. Un soutien psychologique les aidera à faire les bons choix en fonction de leur enfant, de son caractère et de ses besoins. Les parents d'enfants précoces restent souvent en contact avec un psychologue et le consultent lorsqu'ils doivent prendre une décision importante pour l'avenir de l'enfant. On pourrait d'ailleurs suggérer à tous les parents, face à une problématique de décision ou de compréhension de l'enfant, de consulter un spécialiste aux moments charnières pour les aider à prendre les bonnes orientations et prévenir tout dérapage ou mauvaise voie sur laquelle l'enfant pourrait s'engager. Les questions soulevées par l'éducation d'un surdoué vont se situer à plusieurs niveaux, notamment au niveau affectif et éducatif.

Si, comme le suggère Françoise Dolto, il est impossible d'être des parents parfaits en matière d'éducation, il est encore plus difficile de ne pas tomber dans certains travers lorsque l'on est le père ou la mère d'un enfant précoce : avoir envie de pousser son enfant, lui imposer une pression constante, être à l'affût de ses notes, ne pas lui accorder le droit à l'erreur, exiger sans cesse d'excellents résultats, le considérer affectivement comme un enfant plus âgé, le sur-stimuler par rapport à la demande qu'il formule, vouloir toujours en faire plus, telles sont les réactions typiques que l'on rencontre chez certains parents, soucieux de trop bien faire pour leur enfant.

Ces attitudes sont sans doute tentantes pour certains parents, si fiers d'avoir mis au monde un enfant surdoué qu'ils réalisent à travers lui leurs propres rêves. De même qu'on ne construit pas un enfant surdoué de toutes pièces, il ne faut pas pousser trop loin son enfant précoce et attendre de lui ce qu'il ne peut vous donner. Si la mise en avant des capacités intellectuelles de l'enfant est importante, son développement affectif est tout aussi essentiel pour lui garantir un bon équilibre et un certain bien-être.

Accepter la réalité

« *Nous recevions régulièrement des demandes téléphoniques d'inscription dans notre structure pour enfants surdoués. Les parents estimaient que les prouesses de leur enfant étaient forcément le signe d'une précocité intellectuelle. Le passage obligé était les tests d'évaluations intellectuelles. Bien souvent, ils s'avéraient tout à fait dans la norme. Je pense que l'envie des parents était si forte qu'ils voyaient en leur enfant un surdoué. Ils étaient extrêmement déçus, parfois vexés même, lorsqu'ils réalisaient que leur enfant n'avait rien du surdoué qu'ils pressentaient*, explique Laurence qui a travaillé dix ans dans une structure pour enfants surdoués. A nous, ensuite, de leur faire comprendre que les tests étaient sérieux, que les erreurs d'interprétation sont minimes. Certains parents étaient furieux et refusaient parfois de nous écouter.* »

Faire appel à un psychologue compétent

Si les tests d'évaluations intellectuelles sont indispensables pour que tous, parents et enfants, aient conscience de la précocité d'un enfant, le suivi de l'enfant et de ses parents au niveau psychologique est un facteur important, dans certains cas décisif pour l'avenir de l'enfant. Les rencontres avec le thérapeute spécialisé s'avéreront utiles au cours de l'enfance et de l'adolescence. L'enfant passera des tests à des moments charnières de sa vie, lorsqu'une décision importante est en passe d'être prise, dans le cas où l'enfant doit sauter une classe par exemple, ou pour décider si une orientation pour ses études supérieures correspond à sa maturité intellectuelle et psychologique. Les tests permettent alors de situer l'enfant et de mesurer ses acquis.

De même, lorsqu'une famille est en contact avec un psychologue, celui-ci peut guider les autres membres de la famille susceptibles de se poser des questions d'ordre affectif, psychologique, social ou familial, en relation avec le surdoué. Il reste néanmoins à trouver le psychologue qui maîtrise le problème des enfants précoces, pour assurer le suivi psychologique de ces derniers et de leurs parents.

« Lorsque j'ai eu des doutes sur les capacités de mon fils, raconte cette jeune maman, j'ai consulté le premier psychologue déniché au hasard des pages de l'annuaire. C'était une jeune femme charmante, mais fraîchement sortie de l'école. Après s'être enfin décidée à lui faire passer des tests (sans doute les premiers qu'elle faisait passer), elle n'était pas à l'aise du tout et hésitait sur la démarche à suivre. L'interprétation des résultats semblait hasardeuse, et elle répondait difficilement à mes questions. Mais les évaluations révélaient tout de même que mon enfant était surdoué. J'ai décidé de me renseigner auprès d'une association qui m'a aiguillée vers une autre psychologue, habituée à ces tests et aux problématiques

soulevées par les surdoués. Le contact est bien passé, mon fils a passé d'autres tests et j'ai pu avoir toutes les réponses aux questions que je me posais ! »

La pression médiatique sur le monde des surdoués pousse chaque année un plus grand nombre d'enfants en consultation pour passer des tests d'évaluation du quotient intellectuel. La demande des psychologues sur le marché a donc beaucoup augmenté ces dernières années. Les tests passés sont nombreux et l'on cherche à évaluer, quantifier tous les domaines dans lesquels on peut intervenir. Si ces facteurs ont déclenché une augmentation du nombre de psychologues, la qualité s'est parfois effacée au profit de la quantité. Or, dans le cas des surdoués, il est important d'évaluer l'enfant dans sa globalité. Cela semble à première vue simple ; il convient pourtant d'être vigilant dans le choix du psychologue.

Si la qualification de « psychologue », en France, devrait permettre en théorie à tout thérapeute ainsi qualifié de faire passer des tests psychométriques, la réalité permet de dire qu'il est préférable de se rendre chez une personne qui pratique régulièrement ces tests.

Certaines associations de surdoués (voir adresses en fin d'ouvrage) pourront vous guider dans vos recherches.

Sachez qu'en France, vous devriez pouvoir obtenir une consultation gratuite auprès d'un psychologue dépendant d'un CMPP (Centre médico-psycho-pédagogique) ou d'un psychologue scolaire, à partir du moment où votre enfant est scolarisé. Cependant, la durée des tests (il faut compter entre deux et trois heures pour obtenir un test complet et sérieux), allonge la liste d'attente et les rendez-vous sont parfois difficiles à obtenir. Dans ce cas, vous pouvez alors vous tourner vers un psychologue exerçant en cabinet privé, dont les honoraires sont libres. Mais il est préférable de se renseigner pour prendre rendez-vous avec un psychologue connaissant les enfants surdoués. Car s'il n'est pas formé ou peu habitué à faire passer ces tests, il peut commettre des erreurs d'interprétation.

Notons aussi qu'il est valorisant, pour un psychologue, de faire passer des tests à des enfants précoces et qu'il est facile de surévaluer ces résultats. Heureusement, les personnes compétentes qui reçoivent les résultats des tests en vue de l'admission d'un enfant dans leur structure (association ou école), savent réinterpréter certains résultats et parfois baisser de quelques points le Q.I. annoncé.

DÉCOUVRIR
SON ENFANT PRÉCOCE

Savoir que son enfant est surdoué permet de mieux gérer sa précocité et d'anticiper les éventuelles difficultés que l'on peut rencontrer. Cette prise de conscience concerne aussi l'entourage de l'enfant, les enseignants, la famille, les amis, qui tiendront compte de ce paramètre dans la relation qu'ils établissent avec le jeune surdoué. S'il est important, pour les parents, d'avoir conscience de la vérité et de pouvoir s'adapter aux faits, il est aussi essentiel pour l'enfant de savoir où et comment il se situe par rapport aux autres.

Ce bagage que les enfants
reçoivent à la naissance

Aucune éducation, quelle qu'elle soit, ne modifiera le quotient intellectuel d'un enfant. En revanche, ce « bagage » que l'enfant possède peut être utilisé à bon escient et transformé « intelligemment » pour lui permettre de développer ses capacités et de bien vivre sa précocité, tant sur un plan affectif, familial que scolaire. L'enfant naît avec des capacités hors normes et ses parents peuvent lui offrir les moyens culturels, éducatifs, intellectuels lui permettant de développer ses capacités. S'il possède à la naissance un grand potentiel, il va de soi que le contexte familial, social, culturel, ainsi que les rencontres, la chance, les motivations, le caractère guideront l'enfant dans ses choix et feront de lui un adulte plus ou moins heureux et ayant atteint ou non ses objectifs.

Un enfant, dont les parents et l'entourage découvrent tardivement qu'il est doté d'un quotient intellectuel hors normes, passera à côté de nombreuses occasions de s'épanouir et de satisfaire sa soif de connaissances.

> *« Nous avons découvert la précocité de notre fils alors qu'il avait onze ans,* témoigne cette maman. *J'ai l'impression de lui avoir enlevé de nombreuses possibilités et je regrette de n'avoir pas su répondre à ses besoins plus tôt. »*

L'intérêt que les parents portent à leur enfant au niveau du suivi de sa scolarité permet souvent de découvrir plus tôt qu'un enfant est précoce. Cette attention peut être décisive pour son bien-être et son avenir. C'est à l'école, mais aussi à la maison, que l'enfant trouvera le moyen d'assouvir ses besoins d'enseignement, sa curiosité, son intérêt pour certaines disciplines. D'où l'importance, pour un enfant surdoué, d'être écouté, entouré et soutenu, tant sur un plan intellectuel qu'affectif. Il revient aux parents de savoir s'adapter à leur enfant, de comprendre ses capacités et ses besoins dans divers domaines.

Les enfants qui lisent à deux ans, les autres qui se renferment dès les premières années de maternelle

La plupart des jeunes surdoués sont découverts avant l'âge de 5 ou 6 ans, les parents ou les instituteurs de maternelle s'apercevant eux-mêmes de la précocité de l'enfant. Certains enfants réclament parfois dès l'âge de 2 ans d'apprendre à lire, à compter et à écrire. Le vocabulaire est déjà conséquent, les phrases bien construites, les pensées structurées, tandis que les autres enfants du même âge balbutient encore. Si quelques surdoués mettent en avant leurs facultés intellectuelles avant de développer leurs capacités sur un plan moteur, quelques-uns s'épanouissent de la même façon sur tous les plans, marchant à 10 mois et lisant à 2 ans. Mais être surdoué, cela ne se lit pas sur le visage d'un enfant. Et ce n'est pas parce que votre enfant ne sait pas lire à 3 ans qu'il n'est pas surdoué.

« Steve est arrivé à la crèche à l'âge de 16 mois, raconte Marie-Annick, éducatrice en crèche. *Ses parents sont américains et parlent très mal le français. En quelques mois, nous avons décelé un comportement différent. Steve était plutôt en retard par rapport aux autres enfants, sur un plan physique et moteur : il n'arrivait pas à tenir sa cuillère, mangeait difficilement seul, n'était pas propre à deux ans et demi, n'était pas très dégourdi dans les séances d'éveil psychomoteur, n'arrivait pas à pédaler sur les tricycles. Dès son arrivée, on avait remarqué qu'il ne s'exprimait pas très bien, et nous avions mis cette difficulté sur le compte du bilinguisme. Mais une chose était étonnante : son intérêt était manifeste à l'heure des histoires. Il ouvrait grand ses yeux, faisait preuve d'une grande concentration et buvait nos paroles sans décrocher du début à la fin. Une fois l'histoire terminée, il reprenait le livre et le feuilletait page par page.*

A deux ans et demi, Steve se faisait toujours difficilement comprendre. Mais, quelques mois plus tard, il eut un déclic et se mit à parler de mieux en mieux. Puis à compter. Un, deux, trois, quatre, cinq... il répétait inlassablement les chiffres et nous questionnait tout au long de la journée : « après 20, c'est quoi ? »... « après 21, c'est quoi ? »... « après 99, c'est quoi ? » Tant et si bien que, quelques semaines plus tard, Steve passait ses journées à tourner en rond en comptant... sans se tromper. Et il se mit à écrire les nombres, puis les lettres de son prénom et à trois ans, il s'amusait à recopier les textes de livres entiers. »

Chaque enfant est différent dans son rythme, ses envies, ses besoins. Les enfants surdoués n'exploitent pas tous leurs capacités dès leur plus jeune âge et quelques-uns ne seront découverts que des années plus tard. Il y a plusieurs explications à cette constatation :

• Les enfants n'ont pas toujours un entourage familial et affectif à l'écoute de leurs besoins.

• Quelques enfants s'enferment dans un monde imaginaire qu'ils échafaudent. A travers les jeux, la lecture, les dessins animés, etc., ils se construisent un monde proche de leurs envies et de leurs besoins, souvent parce qu'ils ne trouvent pas dans leur vie quotidienne, d'égal avec qui partager leurs passions.

• Des enfants se sentent incompris et, par voie de conséquence, s'isolent du monde normal et offrent l'image d'un enfant sage et sans histoires.

• Quelques enfants trouvent la réponse à leurs besoins et satisfont leur soif de connaissance par leurs propres moyens ; ils n'offrent alors pas une grande démonstration de leurs capacités à leur entourage.

• Des enfants, sans doute plus paresseux, se laissent porter par l'environnement affectif et familial, ne cherchant pas à en « faire plus » que ce qui leur est demandé.

Des traits communs
à tous les enfants précoces

Si l'on ne peut remarquer la précocité intellectuelle d'un enfant à première vue, à force de côtoyer et de réaliser des études sur ces enfants, dans un cadre scolaire ou familial, les spécialistes s'accordent à dire que les enfants surdoués possèdent de nombreux traits communs. C'est la convergence de ces signes qui peut pousser les parents à se demander si leur enfant est surdoué ou non, et à lui faire passer des tests d'évaluations psychologiques.

Voici les caractéristiques que l'on retrouve, de manière plus ou moins prononcée, chez les enfants précoces :

• l'hypersensibilité ;

• une grande exigence envers soi-même, avec une nette tendance à l'autocritique, et par conséquent une grande exigence avec autrui ;

• la plaisir d'apprendre, de s'enrichir intellectuellement, la curiosité : l'enfant pose de multiples questions à son entourage, notamment sur des thèmes tels que la vie, la mort, l'espace, la religion, la science…

• l'ennui en classe, et les difficultés à se positionner dans une classe donnée (problèmes liés à l'âge, à la maturité, aux centres d'intérêt…) ;

• un imaginaire très développé (l'enfant donne l'impression d'être souvent « dans la lune ») ;

• la création et l'élaboration de nouvelles choses, concepts, produits, pensés avec une grande volonté d'apprentissage dans le domaine qui l'intéresse : recherche d'informations, documentation, se lancer des défis… ;

• le rejet du groupe scolaire ou de la société (difficulté pour lier des amitiés) ;

• les problèmes scolaires, voire parfois l'échec (lié à la difficulté de se positionner dans un groupe et une structure donnés) ;

• l'attirance pour le monde des adultes dans lequel l'enfant se sent plus à l'aise ;

• la faculté d'atteindre un état de concentration intense lorsque l'enfant est en situation d'apprentissage ;

• il est fréquent que ces enfants manifestent leur envie d'apprendre à lire (et parviennent à déchiffrer des textes) avant leur entrée au CP. Un désir qui met aussitôt la puce à l'oreille des parents.

Si l'on ne retrouve pas ces paramètres chez tous les enfants, c'est l'apparition et l'accumulation de plusieurs de ces facteurs qui peuvent frapper les parents et leur faire suspecter la précocité de leur enfant.

À quel âge peut-on déceler la précocité d'un enfant ?

Les résultats apportés par les évaluations psychologiques seront garants de la précocité intellectuelle d'un enfant. La précocité peut être décelée à tout âge, dès lors que l'enfant s'exprime. Certains parents, ayant suspecté la précocité de leur enfant, attendent pourtant souvent plusieurs années pour consulter un spécialiste.

« Je m'étais rendu compte que ma fille était très en avance pour son âge, qu'elle avait des capacités incroyables, mais j'ai attendu qu'elle ait 7 ans pour lui faire passer des tests ; je trouvais cela inutile avant », avoue un jeune papa.

Peur de connaître la vérité ? Peur d'avoir des choix difficiles à faire ? Peur de brusquer et de déstabiliser l'enfant ? Les parents hésitent souvent par méconnaissance du problème. Pourtant, c'est cette connaissance de la précocité qui permet à tous de mieux connaître et comprendre l'enfant (y compris lui-même), de ne pas commettre d'erreurs, d'appréhender l'avenir plus sereinement et de lui donner toutes les chance de s'épanouir.

Une découverte parfois tardive

Si les enfants surdoués peuvent être détectés très jeunes, d'autres auront soufflé leur quatorzième bougie avant que l'on réalise qu'ils sont précoces. Une succession d'incompréhensions, d'échecs scolaires — parfois très mal vécus — conduisent l'enfant dans un isolement intellectuel ; une situation qui lui enlève toute confiance en lui. Il ne trouve sa place nulle part, se sent seul, incompris, ne s'identifie pas aux autres élèves et finit souvent par être rejeté de son milieu scolaire. Il lui aura manqué un entourage familial à son écoute, la rencontre avec un professeur, décisive dans la détection de ses facilités, pour qu'il puisse vivre sa précocité harmonieusement et en tirer bénéfice.

Qui est en mesure de découvrir la précocité d'un enfant ?

Bien souvent, ce sont les parents qui sont les premiers inquiétés par une différence. Qu'elle survienne dès le plus jeune âge ou plus tard, quand l'enfant devenu adolescent manifeste un retard scolaire conséquent. Dans ces deux cas, ce sont souvent les parents qui entraînent d'eux-mêmes leur enfant chez le psychologue. S'enchaînent alors les tests d'évaluations intellectuelles, effectués par des spécialistes, seuls aptes à juger si l'enfant possède réellement un quotient intellectuel supérieur à la moyenne.

Parfois, dès le plus jeune âge, l'entourage décèle un comportement « anormal » pour un si jeune enfant. Son attitude, quelquefois additionnée d'une hyperactivité et de sautes d'humeur (l'enfant se replie souvent sur lui-même, rêve beaucoup, s'agite en posant de nombreuses questions, puis plonge dans son monde, refuse, évite ou ne prend aucun plaisir au contact avec les autres enfants…), interpelle les parents qui ne trouvent aucune explication. Après avoir questionné l'entourage éducatif de l'enfant, les parents prendront contact avec une personne qualifiée pour faire passer des tests.

Les parents peuvent aussi suspecter la précocité de leur enfant dès l'âge de deux ou trois ans lorsque ce dernier manifeste un comportement hors norme, avec une demande inhabituelle de stimulations.

> « *Thierry avait deux ans et demi lorsqu'il a voulu commencer à lire. Il répétait tout ce que je disais, me montrait des lettres et les répétait,* raconte cette maman. *C'était mon fils aîné, je n'avais pas de points de repère et je trouvais qu'il était juste un peu en avance. Sur les conseils d'amis, je l'ai emmené au cours Hattemer. Il avait alors trois ans, s'y rendait seulement deux heures par semaine et travaillait, en plus, une demi-heure chaque jour. Il réclamait sans cesse ce cours. En six mois, il a appris à lire et écrire et, à quatre ans, il savait faire des additions, des soustractions, commençait à faire des multiplications et à résoudre des petits problèmes de mathématiques. Comme il n'allait pas encore en maternelle, à quatre ans et quatre mois, j'ai pris rendez-vous avec le directeur de l'école dont nous dépendions. Il est resté une demi-heure en tête à tête avec mon fils et a conclu, après lui avoir demandé de résoudre une série d'exercices, qu'il fallait le faire entrer directement en CE 1.* »

Cet exemple montre aussi comment les parents, aidés du corps enseignant, peuvent être les premiers à repérer la différence, même s'ils ne savent pas toujours la nommer. Une fois la précocité révélée aux parents, ces derniers vont être confrontés à un certain nombre de choix et de décisions capitales liées à l'éducation de leur enfant. Dans ce cas, le premier spécialiste à rencontrer est un psychologue.

Les parents, les enseignants, les psychologues

Si les parents sont, dans la majeure partie des cas, les premiers à découvrir la précocité de leur enfant, il n'en demeure pas moins que les éducateurs en général et plus particulièrement les enseignants jouent un rôle essentiel. L'œil averti de l'institutrice de maternelle pourra déjà alerter les parents. Cependant, la précocité révélée plus tardivement peut aussi l'être sous la pression d'un enseignant de primaire, voire de secondaire qui estime que la situation d'échec scolaire de l'élève masque peut-être autre chose qu'un simple problème de niveau ou d'intégration scolaire. C'est alors au tour des parents, seuls décisionnaires de l'avenir de leur enfant et responsables de choix importants, de prendre en considération ce paramètre révélé par l'enseignant. A ce niveau, l'implication des parents dans l'éducation des enfants, dans le suivi et l'intérêt porté à leur scolarité, est de toute première importance. Lorsqu'un professeur explique aux parents d'un adolescent que son manque d'intérêt en classe pourrait être dû à une précocité non décelée et qu'il serait souhaitable d'envisager l'évaluation de son quotient intellectuel, il revient aux parents de prendre en compte cette indication. L'enseignant aura été guidé par l'attitude du jeune, tant dans ses comportements sociaux (avec ses amis, ses professeurs) que pendant les cours (manque d'intérêt, inattention), ses notes (mauvais résultats mais grande facilité de raisonnement) ou encore, sa maturité.

Enfin, citons dans un entourage plus large les autres membres de la famille, les éducateurs sportifs ou professeurs d'activités extrascolaires (professeurs de musique, de dessins, de sport…) qui peuvent aussi déceler chez l'enfant un comportement « hors norme » et inciter les parents à conduire leur enfant chez un psychologue.

Doit-on toujours consulter un spécialiste ?

La consultation s'impose toujours à un moment donné : elle seule permettra de mesurer le quotient intellectuel de l'enfant. Elle permet de lever un doute ou le voile sur un problème. Elle est, dans tous les cas, bénéfique pour l'enfant, d'autant plus lorsqu'il est en difficulté et qu'il croise sur son chemin un psychologue compétent qui saura l'aider à se sortir de l'impasse dans laquelle il s'engouffre.

Lorsque la précocité d'un enfant est une évidence, qu'il sait reconnaître l'alphabet à deux ans et demi, ou déchiffrer un texte à trois ans, il vous suffira de confirmer ce diagnostic à un moment donné avec un psychologue.

Si votre enfant est bien intégré dans son environnement social, scolaire, affectif, qu'il ne présente aucune difficulté dans son cursus scolaire, qu'il se sent bien à son niveau, dans sa tête et dans son corps, il n'y a pas d'urgence à faire passer des tests d'évaluation de quotient intellectuel.

Certains parents attendent longtemps avant de consulter un psychologue. L'enfant a parfois neuf ans, dix ans, onze ans, parfois davantage lorsqu'il passe des tests qui révéleront une précocité pourtant suspectée depuis longtemps par l'entourage. La peur de découvrir la vérité, cette vérité qui leur semble difficile à assumer, tant pour eux que pour leur enfant, fait retarder l'échéance.

Même si vous pensez que votre enfant n'est pas surdoué, il est cependant préconisé de consulter un spécialiste, dans différents cas, tant pour vous aider que pour vous rassurer. Ces cas de figure sont les suivants :

• Si vous avez des doutes sur le bien-être affectif, social, scolaire de votre enfant.

• Si un enseignant, un éducateur vous suggère de faire évaluer le quotient intellectuel de votre enfant.

• Si votre enfant est en situation d'échec scolaire.

• Si votre enfant exprime son ennui en classe, et son désintérêt pour l'école (et d'autant plus s'il travaillait bien dans les petites classes).

• Si votre enfant excelle dans certaines matières, sans pour autant travailler comme un forcené.

• Si votre enfant présente certains traits de caractère que l'on retrouve souvent chez les enfants précoces : solitaire, appréciant la compagnie des adultes, faisant preuve d'une certaine maturité, aimant la lecture, ayant peu d'amis.

Ignorer la précocité d'un enfant

Méconnaître la précocité de son enfant peut être à l'origine de troubles du comportement. Un surdoué dont le quotient intellectuel n'est évalué qu'à l'adolescence aura sans doute souffert pendant plusieurs années. Si la précocité est décelée très tôt, les parents et l'entourage auront adopté une attitude et fait des choix en fonction de l'enfant, de sa précocité, de ses besoins et de ses capacités. En revanche, lorsque cette précocité n'est pas découverte, l'enfant progresse d'une classe à l'autre, tentant de s'adapter au niveau, réussissant parfois, échouant souvent.

Mettre en mots sa précocité l'aide à comprendre ses difficultés. Non seulement les enfants sont un peu perdus dans leur scolarité, mais les parents n'ont pas su répondre aux envies et aux besoins de leur enfant, tant sur un plan intellectuel qu'au niveau affectif. Leur souffrance est réelle, les enfants n'ont plus de repères identitaires et éprouvent des difficultés à construire leur propre personnalité. Des troubles narcissiques et de personnalité se manifestent parfois dans ces cas-là.

Les raisons des consultations psychologiques

L'enfant que l'on emmène en consultation connaît en général les motivations qui poussent son entourage à voir un psychologue, qu'il s'agisse d'un échec scolaire, d'une difficulté psychologique ou d'une simple confirmation de sa précocité. Il est important de lui expliquer cette démarche, de lui faire comprendre vos motivations, pour qu'il prenne conscience de ses capacités, mais aussi de ses limites.

> « Mes parents m'avaient annoncé leur décision de consulter un psychologue parce que j'avais de grosses difficultés à l'école et je n'arrivais pas à suivre, raconte Quentin. Je me sentais toujours différent des autres, je ne pensais jamais comme eux, mais j'intériorisais et j'essayais toujours de faire comme eux, c'était ma seule manière d'être accepté. J'avais plein d'amis, d'ailleurs. En passant les tests, j'étais sûr de ne pas être dans la norme, au-dessous ou au-dessus, mais de toutes façons hors norme. Quand j'ai eu les résultats et en parlant avec le psychologue, j'ai compris pourquoi je vivais si mal certaines expériences. »

L'enfant a besoin de savoir, de connaître, d'évaluer pour se situer par rapport aux autres. Il ne doit pas avoir l'impression qu'on lui dissimule la vérité, ou que l'on agit dans son dos ; il ne se sentirait que davantage différent et s'inventerait des raisons insensées pour justifier cette différence.

L'éveil de l'enfant surdoué

Qu'il soit surdoué ou non, chaque enfant est unique. Unique et différent par son caractère, sa maturité, ses goûts, ses envies, ses besoins. Et chacun grandit et s'éveille à son rythme, en fonction de ce qui le motive et de ce que son environnement (parents, amis, école…) lui offre. Il est cependant un fait que l'on ressent particulièrement chez certains surdoués. S'ils ont une avance intellectuelle réelle sur les autres, tous ne s'éveillent pas au même rythme. Ils n'ont pas développé certains traits de caractère, et vont parfois même jusqu'à être « en retard » dans certains domaines. Certains sont lents (pour s'habiller, ranger, se préparer…), d'autres ne savent pas s'organiser (dans leur travail, leur emploi du temps…), sont très dépendants de leurs parents (autonomie dans la maison pour les repas, organisation du rythme quotidien et organisation générale…). Tous ne présentent pas ces caractéristiques mais les parents s'en inquiètent parfois.

« Ma fille est très lente et perd un temps fou à se laver les dents, ranger son cartable, s'habiller, se coiffer… Elle traîne tout le temps, est toujours la dernière à être prête, et à l'école, elle sort toujours la dernière de sa classe parce qu'elle met dix minutes à ranger son cartable ! Pendant tout ce temps perdu, j'ai l'impression qu'elle est dans la lune, que cela ne l'intéresse pas et que son esprit est ailleurs, qu'elle pense à autre chose… », avoue une maman décontenancée devant son enfant de 10 ans capable de comprendre et d'assimiler des cours avec des adolescents qui ont trois ans de plus qu'elle, mais plus lente à se préparer le matin que sa sœur de 7 ans.

Temps passé à rêver ? Développement plus lent en compensation d'une maturité et d'un éveil fulgurant dans d'autres domaines ? Les avis divergent.

« Très en avance à l'école, Thierry était d'une lenteur incroyable dans l'acquisition de son autonomie : il a mis très longtemps avant d'arriver à s'habiller seul, choisir ses vêtements le matin, faire une valise, préparer son cartable et, à

11 ans, il ne savait toujours pas préparer son petit-déjeuner, raconte ce papa surpris. *Je n'ai jamais réussi à comprendre s'il exprimait un immense besoin d'être protégé et cajolé par sa maman, ou si cela lui était tellement superflu qu'il n'éprouvait pas le besoin de s'y intéresser.* »

LE BONHEUR EN FAMILLE

Si l'on peut considérer que l'équilibre de l'enfant surdoué est fragile puisqu'il conditionne son avenir social et
scolaire, les relations familiales apportent, elles aussi,
leur lot de questions. L'éducation offerte par les parents à
l'enfant surdoué sera d'autant plus complexe que ce dernier vit avec un décalage entre sa demande affective et ses
besoins intellectuels : il réclame la tendresse et l'attention d'un enfant « normal » de son âge alors qu'intellectuellement, il a le raisonnement équivalent à celui d'un
enfant plus âgé. Cependant, la difficulté d'assumer ce
déphasage accroît souvent son attente affective, en comparaison avec celle des autres enfants de la fratrie. Trouver son équilibre entre le besoin affectif et l'avance
intellectuelle lui est nécessaire pour construire sa personnalité.

Les rapports parents/enfant, ainsi que les liens avec les
autres enfants, sont à l'origine de nombreux conflits,
comme dans toute autre famille « normale », même si les
raisons de ces tensions sont parfois différentes. L'enfant
surdoué doit trouver sa place au sein de sa famille et se
positionner vis-à-vis de ses frères et sœurs ; quant à ces
derniers, ils doivent accepter et assumer le fait que leur

frère/sœur est doté(e) de facultés intellectuelles plus élevées qu'eux.

Les parents non responsables

Insistons aussi sur la critique dont sont parfois victimes les parents. Ils sont accusés de pousser leur enfant, contre sa volonté, à réussir, soupçonnés de vivre à travers lui leurs propres fantasmes, et suspectés de voir dans le succès de leur enfant, leur propre réussite. Si cette rumeur est très souvent non fondée, elle mérite d'être soulignée parce qu'elle met en avant certaines dérives qui se produisent malheureusement quelquefois.

Le rôle des parents

Comme au sein de n'importe quelle famille, le rôle des parents dans l'éducation de l'enfant précoce est essentiel. Et si celui-ci est doté d'un niveau intellectuel hors norme, il a aussi un besoin affectif plus grand. Il lui faut un cadre familial et un équilibre affectif solides et sains pour s'épanouir. Les parents sont également là pour lui offrir la culture et l'ouverture d'esprit dont il a besoin pour enrichir sa personnalité et exploiter au mieux ses capacités.

Pour aider l'enfant à mieux vivre sa précocité, il convient de l'aider à trouver son équilibre dans la vie de tous les jours. Cela passe en premier lieu par la reconnaissance de son avance intellectuelle et de la complexité affective et psychologique que celle-ci entraîne.

Si tous les enfants surdoués sont différents dans leurs envies et leur tempérament, un trait de caractère commun se retrouve chez la majorité d'entre eux : le besoin accru de stimulation. Ils aiment échanger, dialoguer sur des sujets variés et apprécient la compagnie des adultes. Guider l'enfant dans ses choix de lecture, lui donner la possibilité d'accéder au monde multimédia, découvrir les nouvelles technologies, lui permettre de visiter des musées, des expositions, aller au cinéma, faire du sport, sont des activités que les parents devront favoriser. Cela s'accompagne aussi d'un dialogue très ouvert à la maison.

> *« Mon père travaillait beaucoup et était peu présent à la maison. Ma mère s'occupait de nous mais nous n'arrivions pas à communiquer. J'avais l'impression de l'embêter chaque fois que je posais une question et qu'elle ne savait pas répondre. J'ai souffert de n'avoir pas eu de dialogue avec mes parents, pourtant j'avais mille choses à leur demander »* regrette Sylvie, aujourd'hui adulte.

Les enfants précoces, plus encore que les autres, ont souvent une profusion de questions à poser. Si l'on n'y répond pas, ils risquent de s'enfermer dans leur monde intérieur.

Les parents sont un modèle pour leur enfant. Les adultes qui passent des heures devant leur écran de télévision, qui n'ont ni passion, ni centres d'intérêt, n'inciteront pas leur enfant à communiquer ; les parents deviennent alors, aux yeux de leur enfant, bien peu intéressants à l'inverse des adultes qui participent à une activité extra-profession-nelle riche et passionnée : sports, musique, théâtre, litté-rature… Les enfants découvrent, à travers la passion de leurs parents, d'autres occasions de s'ouvrir sur le monde, de satisfaire leur soif de connaissances et d'acquérir une grande richesse d'esprit. Les surdoués aiment la com-pagnie des adultes, et une relation riche en expériences et en communication avec leurs parents, comblera leurs besoins. Plus les adultes leur accorderont une attention particulière, plus ces enfants se sentiront épaulés et écou-tés. Mais il est parfois difficile de trouver l'équilibre entre une grande disponibilité d'écoute et une attitude ferme et autoritaire.

Devant la facilité de leur enfant dans sa scolarité, les parents ont parfois tendance à « l'étouffer » ou à lui imposer une réussite dans un domaine pour lequel il est doué mais qu'il n'aime pas outre mesure. Ils oublient ou admettent difficilement qu'il se détende ou s'intéresse à des activités qu'ils considèrent comme plus « futiles ».

> *« Ma mère ne voulait jamais que je regarde la télévision, ni que je traîne dans mon lit. Il fallait toujours que je sois en mouvement, mais en mouvement intellectuellement riche. J'ai toujours eu le sentiment de n'avoir jamais le droit de rêver, de me laisser aller »,* raconte cet ancien enfant surdoué.

Le rôle premier des parents est d'entourer leur enfant d'amour et de lui offrir un équilibre affectif pour qu'il s'épanouisse à tous les niveaux. Faire de son enfant une bête de cirque, le mettre en avant constamment, le solliciter, lui imposer de réussir, n'accepter aucun échec, vouloir réaliser ses propres fantasmes (ceux que les parents n'ont pas réussi à concrétiser), n'est pas lui rendre la vie plus facile.

Les exemples de pression morale exercée de manière inconsciente par les parents sont fréquents ; malheureusement, si le surdoué, dans un premier temps, est ravi de « faire plaisir » à ses parents et excelle en classe parce que cela lui est facile, il n'est pas évident qu'il prenne autant de plaisir par la suite, à l'adolescence ou à l'âge adulte. Il entre alors en rébellion contre ses parents à qui il reproche leur attitude. Enfant, il ne réalise pas les traumatismes et les dommages affectifs et psychologiques qui peuvent naître d'un tel comportement. Nombreux sont les adultes, anciens enfants précoces, ayant souffert de cette pression parentale et qui regrettent d'avoir toujours répondu aux attentes, c'est-à-dire d'avoir énormément travaillé et sacrifié les plaisirs et les envies qu'ils avaient réellement au fond d'eux. L'abstraction de leurs envies, de leurs désirs, de leurs besoins affectifs est une plainte courante de la part de ces enfants surdoués devenus adultes.

Savoir répondre aux demandes d'affection de leur enfant, l'aider à accéder à l'autonomie, faire les bons choix en matière d'éducation, telles sont les principales responsabilités des parents. Mais si l'enfant a besoin d'un cadre familial serein pour garantir sa réussite scolaire, il a aussi et surtout, besoin d'amour. Les parents doivent s'efforcer de considérer leur enfant dans sa globalité, en tenant compte de sa maturité, de son attente et de ses besoins. Son quotient intellectuel n'est qu'un paramètre parmi d'autres. Devant l'avance intellectuelle et scolaire dont leur enfant fait preuve, certains parents lui donnent son indépendance alors qu'il est encore très jeune. Or, si l'enfant a une avance intellectuelle incontestable, son besoin affectif est égal à celui des enfants de son âge réel. D'où l'importance de considérer l'enfant comme une personne ayant des besoins affectifs et pas seulement intellectuels.

Une responsabilité parfois difficile à assumer

Les parents hésitent parfois entre l'envie d'inciter l'enfant précoce à réussir dans ses études compte tenu de ses capacités intellectuelles, et celle qui consiste à le laisser avancer à son rythme. Les décisions prises, notamment dans les choix de scolarité, influencent l'avenir de l'enfant. Plus qu'avec les autres membres de la fratrie, les parents se sentent responsables de la réussite ou de l'échec de leur enfant surdoué. L'insuccès est alors, pour eux, le reflet de leur propre déconvenue de n'avoir pas su l'aider à gravir les échelons et trouver son équilibre affectif et scolaire.

La place de l'enfant surdoué
dans la famille

Après avoir découvert la précocité de leur enfant et s'être posé de nombreuses questions, il faut aux parents le temps de gérer cette nouvelle et de la faire accepter par la famille tout entière.

Qu'il s'agisse de l'enfant surdoué ou des autres frères et sœurs, chacun doit trouver sa place au sein de sa famille. Dans les fratries qui comptent un jeune surdoué, les autres enfants se sentent parfois dévalorisés, manquant d'intérêt aux yeux de leurs parents et, selon leur caractère et les relations qu'ils ont avec leurs frères et sœurs, ils peuvent perdre confiance en eux. Les relations seront modulées en fonction de la place occupée par l'enfant surdoué au sein de la fratrie, ainsi que du nombre de frères et sœurs présents. Quelle que soit la place de l'enfant précoce au sein de sa famille, les autres enfants seront considérés avec autant d'amour et d'attention. Les parents veilleront sur les autres enfants pour qu'ils ne se sentent ni exclus, ni dévalorisés, ni inférieurs, et ne se considèrent pas comme « les vilains petits canards ». Ils protégeront tous leurs enfants de la jalousie, de l'envie, de la culpabilité qui peut exister et naître, parfois de manière insidieuse ou sournoise, au sein d'une fratrie.

Plusieurs cas peuvent se présenter :
- le surdoué est enfant unique ;
- il y a deux enfants à la maison ;
- la famille compte trois enfants et plus ;
- une même fratrie rassemble deux enfants surdoués.

Dans une famille composée d'un ou plusieurs enfants, dont un surdoué, d'autres critères entrent en ligne de compte et auront une influence sur l'équilibre familial et l'entente fraternelle :
- l'harmonie du couple parental, garante d'un bon équilibre chez les enfants, d'autant plus chez l'enfant surdoué qui éprouve un grand besoin affectif ;
- le tempérament des enfants, du surdoué et de ses frères et sœurs ;
- l'écart d'âge entre les enfants : plus cet écart est grand, plus les enfants seront individualisés dans l'atten-

tion que les parents leur portent, et moins il y aura de conflits entre les enfants ;

• la position du surdoué au sein de la fratrie : enfant unique, aîné, cadet.

L'enfant unique

Lorsque l'enfant surdoué est fils ou fille unique, ses parents auront davantage de temps à lui accorder et tous leurs soucis, leurs questions, leurs doutes seront orientés vers cet enfant. C'est incontestablement un avantage lorsque la mère, ou le père, plus disponible au foyer, lui offre plus de son temps et beaucoup d'attention. Il reçoit l'amour et le soutien affectif dont il a besoin. La mère, en général, est très présente dans le suivi de la scolarité de son enfant. Répondant à ses questions, le surveillant d'un œil plus avisé, la maman tisse un lien étroit avec les professeurs, surveille les apprentissages scolaires, aide au travail à la maison lorsque l'enfant le réclame et n'hésite pas à consulter un psychologue si cela est nécessaire.

En revanche, certains enfants uniques ont des parents submergés par leur activité professionnelle. Malgré leur bonne volonté, ces parents mènent une vie quotidienne trépidante, n'ont jamais remarqué une quelconque différence, ni avance chez leur enfant et, si des difficultés scolaires se présentent, elles sont expliquées par un manque de travail. Dans ce cas, si l'enfant a par ailleurs peu d'amis à l'école et se retrouve à la maison livré à lui-même, un soutien affectif lui fera cruellement défaut. Si les instituteurs ne sont pas à l'écoute de l'élève, ne décèlent aucune aptitude particulière, très vite, le jeune surdoué se replie sur lui-même et se sent incompris. L'écoute et le réconfort dont il aurait besoin à la maison lui manquent, ses parents n'y répondant pas. L'enfant éprouve une grande solitude, sans frères ni sœurs pour communiquer, et trouve refuge dans son monde intérieur, son monde imaginaire.

Souvent, à l'initiative d'un professeur ou pour mettre un terme à un comportement devenu agressif, excessivement solitaire, ou triste, les parents se décident à consulter un psychologue. Sentant leur enfant en souffrance, ils font cette démarche non pas en soupçonnant une précocité intellectuelle, mais souvent dans le seul but de lui offrir un soutien psychologique et de l'aider à retrouver la sérénité. Seul le psychologue prendra l'initiative des tests d'évaluations et révélera une précocité intellectuelle. Si l'enfant est soulagé et peut mettre un nom sur sa différence, les parents devront, eux, changer leur attitude pour l'aider à surmonter ses problèmes et retrouver l'équilibre. Ce soutien passe par une plus grande vigilance, plus d'attention, et sans aucun doute, une présence quotidienne.

De même, un enfant qui a plus de dix ans d'écart avec ses aînés ou ses cadets sera élevé comme un enfant unique et susceptible de connaître une semblable solitude.

Si, dans quelques familles, l'enfant unique est livré à lui-même, à l'inverse, un des travers que l'on rencontre parfois est « l'overdose » d'affection et d'attention.

> « *Mon unique sœur a treize ans de moins que moi,* raconte Charles. *J'ai été élevé comme un fils unique et trop couvé par mes parents qui espéraient seulement ma réussite scolaire. J'aurais aimé qu'on me laisse tranquille. J'avais des excès dans les deux sens : mon père, trop autoritaire, ne m'accordait aucun laisser-aller, et ma mère me donnait un amour excessif et aveugle. J'aurais préféré la qualité des relations à la quantité qu'ils me donnaient !* »

Lorsqu'il est le centre de tous les intérêts et l'objet de toutes les préoccupations, l'enfant unique aspire parfois à plus d'autonomie et de tranquillité. Il souhaite seulement qu'on le laisse vivre à son rythme, sans « pression psychologique » et que l'on réponde à ses besoins affectifs.

Deux enfants à la maison

Dans les fratries de deux enfants, la place occupée par le jeune surdoué est décisive pour l'équilibre familial. Lorsqu'il est l'aîné, par la force des choses, tous les regards sont tournés vers lui pendant les premières années et, lorsque le second enfant arrive, les parents sont très anxieux de découvrir ses capacités. Inconsciemment, ils vont juger ce second enfant, évaluer son potentiel en comparaison avec l'aîné.

Tant qu'il évolue à son rythme, sans poser de problèmes majeurs, le cas du cadet, dont le quotient intellectuel est dans la norme, « n'intéresse » pas ses parents qui concentrent toute leur attention sur leur aîné : l'enfant surdoué accapare l'esprit de ses parents qui se posent des questions sur sa scolarité et les choix que celle-ci nécessite. Faut-il lui faire sauter une classe ? Est-il bien adapté ? A-t-il besoin d'un suivi psychologique ? L'établissement dans lequel il se trouve lui convient-il ? Est-il bien intégré ? Il est l'objet de toutes les attentes, des questions, des concessions, parfois, de ses parents, prêts à faire des kilomètres pour l'inscrire dans une école ou une association adaptées.

Le cadet, s'il se développe harmonieusement, ne posera pas de grands problèmes à ses parents, mais aura parfois tendance à se sentir un peu « laissé-pour-compte ». Il n'attire guère l'attention et, selon le climat familial et son tempérament, pourra plus ou moins s'affirmer et trouver sa place dans la fratrie.

Lorsque l'enfant surdoué arrive en seconde position, la gestion des conflits au sein de la famille est souvent plus simple, sauf lorsque l'aîné est jaloux de l'intérêt porté au petit dernier, qui a déjà tendance à être « chouchouté ». Toutefois, l'enfant surdoué s'intégrant plus facilement aux adultes ou aux enfants plus âgés, gère mieux les conflits entre frères et sœurs lorsqu'il est le cadet, et les chances de voir une bonne complicité se créer entre les enfants sont plus grandes. Cependant, l'enfant aîné aura tendance à se sentir dévalorisé au regard de son cadet et ce d'autant plus que l'écart d'âge est faible. Un enfant de 10 ans, dont le cadet de 18 mois a une classe d'avance sur lui, peut vivre très mal cette différence et se sentir « idiot », alors que sa scolarité et son développement sont tout à fait normaux et satisfaisants.

Mais, si la place des enfants joue un rôle dans l'entente familiale, c'est avant tout leurs tempéraments, leurs caractères, leurs centres d'intérêt qui font que les frères et sœurs s'entendent ou non.

L'équilibre dans la fratrie

« *Ma sœur aînée est surdouée et a suscité, pendant toute mon enfance, l'attention de mes parents,* raconte Marie, 25 ans. *Malheureusement, on ne s'aimait pas et on ne partageait rien. Elle était même méchante à mon égard. On s'est déchiré pendant des années et, à cause de ses insultes, je me suis toujours sentie diminuée, inférieure ; elle me faisait sans arrêt comprendre que je n'étais pas intelligente. J'étais pourtant excellente élève et j'avais même un an d'avance à l'école. Aujourd'hui, à l'âge adulte, je souffre toujours d'un manque de confiance en moi et je me trouve toujours moins brillante que les autres. Nous en avons parlé récemment : elle ne se souvient pas de son comportement mais, en revanche, avoue avoir souffert de complexes physiques : elle a toujours beaucoup envié mon physique, à l'opposé du sien ! »*

Gérer les conflits au sein des familles

C'est aux parents qu'il revient de gérer les conflits entre frères et sœurs, de soutenir tous les enfants et de tenir compte des besoins, des demandes, des souffrances des uns et des autres. Essayer de donner autant aux uns qu'aux autres, surdoués ou non, même si, par la force des choses, le surdoué réclamera davantage d'attention. Il est important de ne pas laisser les autres enfants dans un déni de personnalité, avec un sentiment constant de dévalorisation, parce que le frère ou la sœur surdoué(e) a de meilleurs résultats, est plus brillant(e), que tout le monde dans la famille parle de sa réussite, s'extasie devant son avance en classe, et qu'on le (la) prend sans cesse en exemple. Le non surdoué a sa place légitime au sein de sa famille.

Si un suivi psychologique est souvent utile pour gérer, comprendre et mieux vivre la précocité d'un enfant, tant pour lui que pour ses parents, l'aide de ce thérapeute sera tout à fait utile pour guider l'autre ou les autres enfants de la famille. Ils ont besoin de savoir que l'enfant surdoué est différent de la majorité des gens, et que ce ne sont pas eux, en tant qu'enfants « normaux », qui doivent se sentir inférieurs et différents. L'enfant non surdoué doit s'apprécier à sa juste valeur, savoir comment et pourquoi son frère est précoce, et à quoi cela correspond.

Le rôle du psychologue permet une meilleure compréhension mutuelle de la famille :

• il aide les parents à comprendre, évaluer la précocité de leur enfant et les soutient dans leurs choix ;

• il peut encourager l'enfant surdoué lorsqu'il traverse des moments de doute ;

• il permet aux autres enfants de la famille de se sentir « normaux », de s'accepter comme ils sont, avec leurs qualités et leurs défauts, et de comprendre la différence qui existe entre eux et l'enfant surdoué.

Quelques consultations, une seule parfois, peuvent aider chacun à trouver sa place et éviter ainsi de nombreuses tensions ou incompréhensions. Un suivi peut être salutaire pour tout le monde. Les parents seront donc vigilants et à l'écoute de tous leurs enfants, y compris de celui qui est normal, qui ne pose aucun problème mais qui, au fond de lui, se sent réellement dévalorisé.

Plus de trois enfants
dans une même famille

Les familles qui se composent de trois enfants (ou plus), dont un surdoué, sont souvent celles qui trouveront le mieux leur équilibre : l'enfant surdoué est certes différent, mais les autres frères et sœurs se sentent moins dévalorisés. Ils seront solidaires dans leur « normalité ». La rivalité entre le surdoué et l'enfant normal n'existe plus : on se trouve en présence d'un enfant différent, le surdoué, et de deux enfants « normaux ».

Malheureusement, dans ce cas, c'est au surdoué de trouver seul son équilibre. Dans cette configuration, des facteurs tels que l'âge des enfants et leur place dans la fratrie, leur sexe, leurs relations, leur tempérament, sont décisifs pour l'épanouissement de chaque enfant.

« Nous étions quatre enfants, trois filles et un garçon, explique Jeanne, maintenant adulte. *Notre sœur, la seconde, était surdouée, et moi l'aînée, avec seulement vingt mois de plus qu'elle. Mais elle était dans une classe au-dessus. Elle a passé son baccalauréat quand je finissais ma Première. J'aurais pu me sentir inférieure mais mon autre sœur et mon frère rétablissaient la « norme ». Mes parents nous donnaient à tous autant d'amour et nous consacraient à tous autant de temps chaque jour. Ils faisaient toujours allusion au fait que nous étions tous différents mais chacun avec nos qualités et nos défauts. Je pense que cela nous a tous aidé à trouver notre place et à nous accepter. »*

Plus il y a d'enfants dans la famille, plus la disponibilité d'un des deux parents doit être grande pour répondre aux demandes affectives et psychologiques de chacun, le surdoué comme les autres. Cette présence affective et cette écoute sont garantes de l'équilibre familial.

Dans une famille de deux (ou plus !) enfants surdoués

Il arrive, mais ce cas est rare, que l'on rencontre plusieurs enfants surdoués dans une même famille. Si les difficultés, pour les parents, à gérer ces différences seront plus grandes, parce que les questions, les choix, les problèmes seront multipliés par deux et propres à chaque enfant, en revanche, les relations entre les enfants seront plus faciles. Ils se comprennent, s'épaulent, partagent les mêmes questions, les mêmes doutes, les mêmes difficultés, et ne souffrent pas d'incompréhension. Seuls leurs choix peuvent différer. Et leur comportement n'étonnera pas leur frère ou sœur. Lorsque tous les enfants d'une même famille sont surdoués, les parents peuvent prendre des décisions communes à tous les enfants, comme de leur faire « l'école à la maison », par exemple.

Le danger de ces familles est de voir se développer une rivalité entre les enfants, parfois poussée à l'extrême, chacun tentant de faire mieux que l'autre et d'afficher haut et fort ses résultats. Cette compétition permanente, qui dépasse la notion d'émulation, peut être destructrice pour les enfants et leurs relations. Les parents veilleront à stopper toute compétition fratricide dès lors qu'elle prend trop d'ampleur et ne permet plus aux enfants de s'épanouir. Dans ce cas-là, une consultation psychologique peut aider les parents à prendre du recul par rapport à leurs enfants, les aider à prévenir des conflits, et faire les bons choix en fonction de la personnalité de chaque enfant, de leurs envies, de leurs besoins, de leurs centres d'intérêts.

Il est important, dans le rythme quotidien, de ne pas les considérer comme une seule entité, un peu comme on considère des jumeaux, que l'on appelle souvent « les jumeaux » alors qu'ils sont deux êtres différents, avec leurs envies, leurs idées, leur développement qui leur sont propres. Et si leur quotient intellectuel est proche, les « subtests » révéleront sans doute de grandes différences de capacités.

> « *Ma sœur et moi sommes toutes les deux précoces,* témoigne Angélique. *Nous avons deux ans d'écart et nous passons beaucoup de temps ensemble. Nous nous complétons, nous nous stimulons et nous sommes très exigeantes l'une vis-à-vis de l'autre. Nous sommes tout le temps ensemble, y compris dans la cour de l'école, parce que nous nous comprenons. La seule différence, c'est que moi je fais du piano et elle, de la danse. Pour le reste, j'ai l'impression que nous sommes toujours d'accord sur tout et que nous nous enrichissons mutuellement.* »

Si les enfants sont en osmose, ils risquent de se couper du monde, de s'enfermer dans leur bonheur, de se suffire à eux-mêmes et, en dehors des adultes qui leur sont proches, ils n'iront pas spontanément vers autrui. Leur frère ou sœur leur procure des satisfactions affectives et sociales suffisantes. D'ailleurs, tout comme les enfants jumeaux, il n'est pas rare de les voir, lorsqu'ils ont peu de différence d'âge, se construire leur propre monde, élaborer, alors qu'ils savent à peine parler, un langage codé qu'eux seuls comprennent. Les parents devront alors offrir à chacun des activités pour leur permettre de s'ouvrir au monde extérieur. Leur âge respectif, leur écart d'âge ainsi que leur sexe seront des facteurs influents dans leur relation.

Une relation père/mère

Les rapports que les enfants surdoués entretiennent avec leurs proches sont souvent d'une extrême finesse. Ils ont ce que l'on pourrait appeler « l'intelligence des relations humaines », même s'ils éprouvent parfois une grande difficulté à s'intégrer dans un groupe. Leur hyper-sensibilité est un facteur qui leur permet de comprendre et d'anticiper la relation qu'ils tissent avec leurs parents. Ces derniers expliquent souvent qu'ils ont l'impression que leur enfant pense pour eux et se met à leur place. Cette intelligence relationnelle les rend exigeants vis-à-vis d'eux-mêmes et par conséquent vis-à-vis des autres. Une exigence qui se ressent dans leurs relations avec leur entourage.

L'enfant surdoué a très tôt conscience de ce qu'il peut attendre des autres, notamment ses parents. La relation enfant/mère et enfant/père est, dès le plus jeune âge, significative. L'enfant joue de ses relations, sachant ce qu'il peut attendre de l'un ou de l'autre de ses parents. Comme ce petit garçon de huit ans qui manie avec finesse les rapports totalement différents qu'il entretient d'un côté avec son père, de l'autre avec sa mère :

> « *Quand je suis avec mon papa j'ai huit ans, mais avec ma maman j'ai parfois huit ans, parfois quatorze. Quatorze ans, cela me donne le droit d'être un peu dissipé, insolent, de ne pas être très sage tandis qu'à huit ans, je suis sage. Quand j'ai envie d'un câlin, je me dis que j'ai huit ans et je vais voir maman.* »

Déstabilisés par de telles attitudes, les parents ne savent comment réagir. Comment le considérer affective-ment ? Comment s'adresser à lui ? Peut-on câliner un enfant de dix ans qui a le quotient intellectuel d'un enfant de quatorze ans ? Comment se positionner ? Comment ne pas se faire dominer ? Comment lui parler ?

L'enfant surdoué perçoit très tôt ou parfois trop vite les failles des adultes, et par conséquent de ses parents, dans leur comportement. L'image idéalisée du papa et de la maman, image que tout jeune enfant s'est forgée est, chez l'enfant surdoué, très vite dépassée. L'enfant a alors du mal à idéaliser ses propres parents et à voir en eux des personnes adultes et responsables. Certains analystes vont jusqu'à comparer l'enfant surdoué à un orphelin qui ne peut voir en ses parents un modèle d'adulte idéal.

Comment gérer la précocité de son enfant

Plus on découvre tôt la précocité de son enfant, plus on arrive à entretenir avec lui des relations équilibrées et harmonieuses. Apprendre qu'un enfant est précoce est un choc, une émotion que tous les membres d'une même famille doivent être en mesure de gérer, de comprendre, afin de prévenir d'éventuels problèmes.

Passées la fierté et la stupéfaction, les parents, parfois désemparés et décontenancés, doivent réagir, à la fois face à cet enfant, mais aussi vis-à-vis des autres membres de la famille.

« C'est impressionnant. Les livrets scolaires de mon fils sont toujours excellents, sans surprise. On ne s'est jamais habitués à l'erreur et, lorsque le carnet chute légèrement, on s'inquiète » confie cette mère.

Une habitude qui, parfois, se transforme en une réelle pression que les enfants ont du mal à supporter. Devoir être toujours excellent, réussir avant les autres, comprendre, avoir de bonnes notes, ne jamais échouer, montrer l'exemple, expliquer brillamment aux autres, telles sont les pressions diverses que subit l'enfant surdoué. Quelques parents mettent beaucoup d'espoir en leur enfant, attendent les résultats et espèrent de brillantes études. Car l'enfant surdoué, dans l'esprit de nombreuses personnes, doit réussir. On ne lui pardonne pas l'échec ni la médiocrité. Cette pression, certains enfants surdoués la vivent difficilement et, parvenus à l'adolescence, se rebellent contre leurs parents.

> « *Adrien avait trois ans d'avance à l'école, un Q.I. de 139 lorsque, à douze ans, en classe de Seconde, il redoubla pour des problèmes de santé, ayant été absent de l'école pendant six mois,* raconte ce père. *Un an plus tard, à treize ans, de nouveau en Seconde, il n'acceptait plus cette différence. Lui qui était parmi les meilleurs élèves depuis son plus jeune âge, devint dernier de la classe, manifestant un refus complet de s'intégrer dans un groupe. Il fit même l'école buissonnière pendant plusieurs semaines. Une année d'autant plus difficile que nous ne reconnaissions plus notre enfant auparavant si docile. Il redoubla la classe de Première, passa tant bien que mal en terminale et, après des notes déplorables obtenues tout au long de l'année, finit tout de même par obtenir son bac. S'enchaînèrent alors plusieurs années noires, trois années d'études avortées avant qu'il trouve enfin sa voie et excelle dans son métier quelques années plus tard.* »

Voici l'exemple type d'une « crise d'adolescence prolongée » qui reste surprenante et difficile à vivre pour les parents.

Il arrive parfois, lorsque les parents découvrent la précocité de leur enfant tardivement, qu'ils établissent une relation avec lui en partant sur de mauvaises bases et ce, dès le plus jeune âge. Les conflits sont sous-jacents, l'enfant se sent incompris et les parents n'arrivent pas à interpréter ses réactions. L'enfant précoce s'isole et, parfois, refuse le dialogue. Lorsqu'il se trouve en échec scolaire, parents et enfants entrent alors dans une relation conflictuelle, et il faut attendre l'aide du psychologue pour dénouer les tensions. La révélation de la précocité de l'enfant permettra aux parents de retisser des liens avec leur enfant et de comprendre son comportement.

Le sentiment de culpabilité des parents

Lorsque les parents découvrent tardivement que leur enfant est surdoué, ils ont souvent l'impression d'avoir sacrifié quelques années de son enfance et de leurs relations.

> « *Lorsque nous avons appris que notre fils était surdoué, nous avons d'abord cru à une erreur,* raconte cette maman qui, six mois après avoir découvert que son enfant de onze ans était précoce, a toujours du mal à le réaliser. *Jamais nous n'avions entendu parlé de ces tests d'évaluation intellectuelle. Je savais tout juste ce que signifiait l'abréviation de Q.I. Puis, avec l'aide du psychologue, nous avons peu à peu compris quelle était la douleur de notre fils, dans ses relations sociales, amicales et au niveau scolaire. J'en parle très peu autour de moi, j'ai peur de la réaction des gens : ceux qui vont nous reprocher de ne pas nous en être aperçus et ceux qui ne vont pas nous croire. Mon mari et moi sommes entrés dans la vie active à seize ans et sans diplômes particuliers… Je viens de la campagne et j'ai toujours pensé qu'il n'y avait de surdoués que dans les familles de cadres supérieurs !* »

Un sentiment de culpabilité, doublé d'une envie de réparer ses erreurs et de rattraper le temps perdu ronge les parents. Persuadés d'être à l'origine des difficultés de leur enfant, de n'avoir pas été à son écoute, d'avoir négligé la situation, de n'avoir pas répondu à ses attentes, ils ont parfois du mal à assumer cette précocité. Les parents sont toujours sûrs de comprendre leur enfant, de sentir les difficultés et de pouvoir prévenir les dangers qui se présentent. Une telle nouvelle remet alors en question tout le fondement de leur éducation, leurs principes, leur pédagogie ; ils devront repartir sur de nouvelles bases et repenser la relation qu'ils ont établie avec leur enfant depuis le plus jeune âge. L'aide d'un psychologue peut s'avérer, dans ce cas, très utile, voire indispensable tant pour l'enfant que pour les parents.

Et la culpabilité de l'enfant

Si l'enfant dont on a découvert la précocité dès le plus jeune âge est serein, l'adolescent à qui on révèle qu'il possède un Q.I. au-dessus de la norme le vit plus difficilement et se remet en question. Même s'il est soulagé de mettre un nom sur sa souffrance et de comprendre pourquoi ses relations avec autrui étaient parfois conflictuelles, pourquoi il se sentait incompris, parfois en échec scolaire ou bien rejeté d'un groupe. Le sentiment de culpabilité le ronge aussi. Lorsqu'il découvre sa précocité alors qu'il en souffre depuis plusieurs années, il a parfois du mal à l'accepter. Il prend conscience du mal qu'il a pu faire autour de lui, à ses proches, à ses parents. Il lui est aussi difficile de comprendre pourquoi, en étant précoce, il se retrouve en retard et en échec scolaire.

« J'étais conscient que je faisais du mal autour du moi mais je ne savais pas pourquoi. Cela me faisait souffrir parce que je me sentais coupable mais pas responsable. Je savais que quelque chose n'allait pas chez moi, n'était pas normal, mais je n'arrivais pas à deviner quoi », raconte Antoine dont on a découvert la précocité à l'âge de douze ans.

Certains enfants avouent que si l'on n'avait pas découvert que leur quotient intellectuel était élevé, ils n'auraient peut être jamais pu interpréter leurs difficultés scolaires, affectives ou sociales. Ils se sentent différents, sans en comprendre les raisons.

Lorsqu'un choix remet en cause
la vie de famille

Les parents sont quelquefois confrontés à un choix crucial pour améliorer la qualité de vie de leur enfant surdoué. Une décision qui, parfois, bouleverse la vie familiale. Pour certains parents, cette décision les contraint à renoncer à leur activité professionnelle. Les parents n'ont souvent pas d'autres alternatives possibles. Le choix se pose pour eux en ces termes : ou ils sacrifient les capacités de leur enfant, ou ils mettent entre parenthèses leur vie professionnelle. Le choix est complexe, la situation délicate à analyser.

Lorsque la situation est réellement difficile à vivre pour l'enfant dans sa vie quotidienne et particulièrement dans sa vie scolaire, la famille est parfois contrainte à déménager pour se rapprocher d'un établissement spécialisé qui accueille les enfants précoces dans des classes aménagées. Un déménagement qui va perturber la vie de la famille, des frères et des sœurs, et obliger ces autres enfants à suivre et à changer, eux aussi, d'établissements scolaires. Ce choix est délicat puisqu'il remet en cause la situation familiale tout entière : les autres frères et sœurs doivent aussi changer de vie, et les parents se faire muter, parfois changer totalement de métier ou renoncer à une évolution de carrière au sein d'une entreprise.

Trois exigences vont conditionner leur choix :
- La motivation des parents, qui doit être forte.
- La souffrance réelle et justifiée de l'enfant.
- Ce changement ne doit pas se faire au détriment des autres enfants de la famille.

En effet, lorsque l'un des autres enfants nécessite une scolarité adaptée (due à un handicap, un sport-étude, un pensionnat…), les motivations des uns et des autres, ainsi que les opportunités, feront l'objet d'une concertation avec toute la famille. On ne doit pas influencer les choix des autres enfants et l'on doit prendre en considération les avis de tous.

Un choix difficile

« *Nous avons deux enfants, dont un surdoué qui vivait très difficilement son intégration scolaire, raconte Antoine. Nous avons pris la décision, tous ensemble, de déménager pour que notre fils aîné puisse intégrer un autre établissement qui proposait un accueil plus souple pour les enfants précoces. Notre second enfant n'y voyait aucun inconvénient mais moi, j'ai dû renoncer à une évolution de carrière au sein de l'entreprise dans laquelle je travaillais depuis dix ans et accepter une mutation sans intérêt. Aujourd'hui, je ne regrette rien car mes enfants sont heureux. Mais avant de déménager, je n'étais pas absolument certain que mes enfants allaient trouver leur bonheur dans cette nouvelle vie.* »

Si la famille doit être éclatée suite à une décision de déménagement, il convient de peser les arguments en faveur et à l'encontre de cette option :

• Faut-il privilégier la vie de famille, et plus particulièrement la vie de couple ?

• La souffrance de l'enfant est-elle réelle ?

• Existe-t-il un établissement mixte (élèves surdoués et élèves « normaux ») à proximité ?

• N'existe-t-il pas d'autres solutions (école à la maison, pédagogie différente) ?

• Un suivi psychologique et un changement d'établissement tout en restant au sein d'une structure scolaire normale ne sont-ils pas suffisants ?

• Les autres enfants vont-ils trouver leur bonheur en déménageant ?

• Les parents vont-ils souffrir de ce changement de vie ?

• Les parents doivent-ils renoncer à toute évolution sociale ?

Une fois toutes ces questions posées, les réponses apportées permettront aux parents de prendre leur décision. Les enfants auront bien entendu leur mot à dire et, qu'il s'agisse de l'enfant surdoué ou des autres enfants, tous devront bien comprendre les raisons qui motivent ce choix.

La culture familiale
influence le comportement des parents

Le regard que les parents portent sur leur enfant diverge en fonction de la culture et de la tradition familiale dans laquelle l'enfant grandit.

Dans la tradition américaine, un enfant surdoué attirera souvent tous les regards sur lui et les parents n'hésiteront pas à organiser leur vie autour de ce dernier qui deviendra alors l'unique centre de leurs préoccupations. Les parents modifieront leurs comportements, démissionneront pour s'occuper de leur enfant, lui feront donner des cours d'approfondissement et d'enrichissement, tenteront de développer toutes ses capacités par tous les moyens qui leur sont offerts. La mère n'hésitera pas à recentrer toute son attention sur son rejeton adoré pour lui offrir l'éducation et les cours qu'il désire.

En France, le manque de structures et d'accompagnement scolaire et psychologique des enfants surdoués laisse souvent les parents dans la déroute et l'expectative. Les débats sont contradictoires, cherchant souvent à culpabiliser les parents quels que soient leurs choix, leurs comportements et leurs attitudes. Et en France, on est encore regardé bizarrement, parfois envié, lorsque l'on est les parents d'un enfant surdoué.

LES RELATIONS SOCIALES

Le décalage qui existe entre la maturité intellectuelle et psychologique de l'enfant entraîne aussi des difficultés dans les relations qu'il entretient avec les jeunes de son âge et les adultes.

Certains surdoués profitent de ce déphasage pour s'enrichir auprès d'adultes et d'enfants plus âgés et s'intègrent facilement dans des groupes d'âges différents. Mais plus le quotient intellectuel des enfants est élevé, plus la difficulté de s'épanouir sur un plan social augmente.

Hypersensible, l'enfant surdoué a souvent aussi l'immense capacité d'« entrer » dans l'esprit de l'autre, de se mettre à sa place, de penser pour l'autre. Il ressent l'état émotionnel de son interlocuteur, qu'il s'agisse d'un parent, d'un professeur ou d'un camarade. Dès lors, toutes ses relations avec autrui, et qui plus est un individu hors du cercle familial et intime, devient complexe.

L'enfant surdoué a bien souvent peu d'amis intimes, son avance intellectuelle le propulsant au sein de classes d'enfants plus âgés alors que son réel besoin affectif est celui d'un enfant de son âge. En présence d'un groupe d'enfants « normaux » du même âge, il se sent en déphasage et partage peu leurs passions ou l'intérêt social commun (jeu, hobby, goût, désirs…). Lorsqu'il est avec des enfants plus âgés que lui, le paramètre affectif entre en considération et, s'il peut facilement participer aux débats et aux discussions, il n'éprouve pas les mêmes besoins affectifs : une différence d'envies et d'attentes qui est d'autant plus flagrante à l'approche de l'adolescence. De même, son temps libre est souvent rempli par des activités extrascolaires ; des passions qui réduisent le temps dont il dispose pour s'amuser avec ses amis. De plus, considérant souvent que « s'amuser » est une perte de temps, il balaye ces moments de relations sociales et de détente au profit d'une activité qui nourrit son savoir.

Le problème social, l'intégration dans un groupe, l'amitié, sont donc des questions récurrentes et omniprésentes dans la vie de l'enfant. Spontanément, il se dirige alors vers les adultes. La capacité des enfants précoces à communiquer avec les adultes est grande et ce, dès le plus jeune âge.

Une étiquette sociale
portée difficilement

Il semble aussi que la qualité des relations sociales vécues par l'enfant soit induite par le comportement de ses parents. Ceux qui affirment haut et fort que leur enfant est surdoué, lui font déjà porter une étiquette d'enfant différent. Celui-ci est alors catalogué « hors norme » et doit, se comporter comme tel pour justifier les propos de ses parents.

L'influence du comportement des parents

« Mes parents, ma mère surtout, trouvaient toujours le moyen, dès que nous parlions à quelqu'un, même dans un magasin, de glisser dans le cours de la conversation que j'avais un Q.I. de 149, raconte Matthieu. Cela me gênait terriblement, je ne savais pas comment réagir, je voulais la faire taire, et je trouvais son comportement idiot. J'ai encaissé, difficilement, et je m'isolais dans mon coin, répondant du bout des lèvres aux questions que l'on me posait. A l'adolescence, je suis entré en conflit avec ma mère et j'ai surtout évité de la voir en dehors d'un cercle intime. J'ai trop souffert de cette mise en avant. J'avais l'impression d'être observé comme une bête de cirque à chaque fois. »

Les parents, inconsciemment, en mettant en avant leur enfant, lui font endosser un rôle qu'il n'arrive pas toujours à assumer en société : il doit alors agir de telle et telle manière pour correspondre à ce modèle d'enfant surdoué, ne pas décevoir ses parents, et leur permettre d'afficher fièrement le fait d'avoir mis au monde un enfant précoce. Pousser son enfant en avant de cette manière, en clamant son avance intellectuelle, n'est pas forcément lui rendre la vie plus facile.

Cela biaise d'office ses relations avec autrui, les enfants comme les adultes. Il est regardé comme un enfant différent et les relations sont, à la base, subjectives. Il n'y a plus ou peu de spontanéité, même lorsque l'enfant est en présence d'adultes. Ces derniers ont tendance à tester l'enfant, à le juger, mettent parfois en doute ses capacités, tentent de voir comment il réagit et, parfois vexés de ne pas avoir eu, eux, un enfant surdoué ou de ne pas être surdoués eux-mêmes, essayent de le déstabiliser ou de trouver des failles dans son développement et ses capacités. Les enfants normaux, ayant en face d'eux un surdoué affiché comme tel, se sentent inférieurs, moins intelligents, dévalorisés et n'osent aborder et affronter ce petit « génie ».

Être accepté par les autres

L'enfant surdoué est polymorphe : il peut et sait s'adapter aux autres. Si on lui demande de se faire accepter par un groupe d'individus donné, il devient comme eux. L'effet miroir est très important pour lui et pour la construction de sa personnalité. Il se voit dans le regard de l'autre.

L'enfant qui ne sait pas qu'il est surdoué peut être amené à construire sa propre personnalité sur une image fausse que les autres lui renvoient de lui-même. Il peut alors se croire anormal ou fou. D'où les difficultés qu'il rencontre avec les autres : ceux de son âge ne lui renvoient pas une image intellectuelle de son niveau, et les plus âgés que lui sont en décalage sur un plan affectif.

Si le comportement de l'enfant surdoué, induit par une hypersensibilité, est souvent un gage, pour lui, d'intégration, d'une bonne faculté de communication, il est aussi dangereux. Car, par souci d'intégration dans un groupe social ou familial, l'enfant va essayer, inconsciemment de se normaliser, d'être « comme les autres ». Cela lui demande des efforts considérables. C'est le travers que l'on rencontre lorsque l'enfant est en échec scolaire et rejeté par ses camarades. Il entre alors dans une phase d'automutilation de ses envies, de ses goûts, de ses centres d'intérêt, de ses capacités de réflexion pour ressembler à ses amis, se conduire comme eux, c'est-à-dire qu'il se met à un niveau qui n'est pas le sien. Cette automutilation reflète une grande souffrance psychologique. Certains ont une telle envie de s'intégrer qu'ils sont prêts à tout pour séduire leurs camarades. Ils mettent en place des processus dans l'espoir de convaincre, d'amadouer puis de séduire l'entourage, en laissant de côté leurs propres envies.

Lorsqu'un enfant précoce sympathise avec un jeune du même âge et qu'ils partagent les mêmes passions, ils éprouvent souvent des difficultés à s'entendre au niveau de l'apprentissage, le jeune surdoué ayant la plupart du temps des exigences de rythme d'acquisition plus rapide que son camarade.

> *« Je n'ai pas les mêmes centres d'intérêt que les enfants de mon âge. Je n'ai pas envie de jouer à leurs jeux, c'est pour cela que je n'ai pas beaucoup de copains. Le seul ami de mon âge s'intéresse comme moi à l'informatique. Mais le problème est que, lorsque nous décidons d'explorer les capacités d'un logiciel, c'est toujours moi qui dois lui expliquer. Je perds du temps et il ne m'apporte rien »* témoigne Julien, 10 ans.

Aimer l'informatique, oui, mais avec une telle connaissance et une telle soif d'apprendre, il n'est pas aisé de suivre les progressions du surdoué. Passer des heures devant un écran ou des heures à déchiffrer le solfège à l'âge de dix ans, c'est un jeu pour un enfant surdoué passionné, mais un enfant normal se contentera de moins. L'intensité avec laquelle un enfant surdoué participe à une activité est loin d'être semblable à celle d'un enfant normal, même plus âgé. L'élaboration de sa pensée ne ressemble pas à celle des autres individus ; il est donc rare de voir des enfants trouver leur égal, même chez les enfants plus âgés. D'où leur intérêt porté au monde adulte et la difficulté qu'ils éprouvent à se sentir à l'aise avec des enfants de leur âge. Cependant, la pratique de certaines activités extrascolaires, le piano ou le théâtre par exemple, peut faire découvrir au jeune surdoué des petits « génies », très doués dans leur domaine, mais qui ne sont pas pour autant intellectuellement précoces. Des amitiés très fortes peuvent naître dans ce cas.

Une hypersensibilité parfois négative

L'hypersensibilité dont sont dotés les enfants précoces peut parfois les desservir lorsqu'ils sont en groupe. Une réflexion négative à leur égard, une attitude provocatrice d'un petit copain, les poussent parfois à se replier davantage sur eux.

> *« J'étais toujours blessé car chaque jour une réflexion, pourtant anodine, me faisait mal. Je prenais tout au premier degré et j'avais du mal à l'accepter, même si j'étais conscient que celui qui avait fait une remarque ne l'avait pas faite méchamment »* avoue cet enfant surdoué.

Cette sensibilité à « fleur de peau » est à l'origine de nombreux conflits entre l'enfant surdoué et son entourage. Les surdoués ont davantage de relations avec les adultes dont ils se sentent plus proches que des jeunes de leur âge qu'ils considèrent souvent comme inintéressants. Si de nombreux surdoués ont connu des difficultés dans leurs relations amicales au cours de l'enfance, arrivés à l'âge adulte, ces difficultés s'estompent, car ils peuvent alors choisir leur amitié, indépendamment de toute structure et hiérarchie scolaire.

Ce parcours social, parfois chaotique pendant l'enfance et l'adolescence, a des répercussions sur la confiance qu'ils ont en eux, notamment dans leurs relations avec autrui. Ils se sentent dévalorisés, incapables de s'intégrer, mal dans leur peau et vivent parfois difficilement ces étapes. Si cette constatation se révèle juste pour certains enfants surdoués, d'autres, dont le tempérament est plus ouvert, plus sociable, plus extraverti, s'épanouissent au sein de leur classe.

Mais la plupart de ces enfants sont très exigeants avec eux-mêmes et avec les autres, et cette contrainte a des répercussions sur leurs relations amicales. Ils n'aiment pas l'échec, le vivent difficilement et ne pas arriver à s'intégrer représente pour eux une difficulté majeure. Et lorsqu'ils sont liés d'amitié avec un autre enfant, ils sont très attentifs à ses qualités et ses valeurs en temps qu'ami.

S'intégrer harmonieusement

Les enfants surdoués présentent souvent des difficultés d'intégration sociale qui se ressentent tant au niveau scolaire qu'extrascolaire, dans leurs relations familiales et amicales. Si le début de leur scolarité se déroule souvent sans encombres, les difficultés relationnelles surviennent à mesure que l'enfant grandit, souvent lorsqu'il arrive au niveau de la classe de CM2. Il était bien souvent, jusquelà, leader de sa classe mais, peu à peu, sa précocité qui était un atout va devenir un handicap. Problèmes pour lier connaissance, souder une amitié et répondre aux attentes des amis... La fréquence de ces difficultés augmente à l'approche de l'adolescence, lorsque les centres d'intérêt s'affirment. C'est à cet âge aussi que les enfants marquent une plus grande souffrance quand ils n'arrivent pas à se faire des amis. Ils se sentent rejetés, différents, exclus. Les parents doivent alors soutenir psychologiquement leur enfant, l'aider à s'épanouir et lui donner l'occasion de s'affirmer, de montrer ses différences et de les assumer, de développer des centres d'intérêt dans lesquels il sera particulièrement brillant.

Lorsque la précocité n'a pas été détectée pendant les premières années, le sentiment de rejet est omniprésent et trouble considérablement le développement psychologique et l'intégration sociale de l'enfant.

Se savoir précoce pour se rassurer

« Pendant longtemps, j'ai cru que je n'étais pas normal, je me sentais vraiment inférieur, témoigne un jeune garçon de douze ans dont on a découvert la précocité intellectuelle seulement à l'âge de onze ans, suite à un échec scolaire. *Et lorsque j'ai su que j'étais surdoué, cela m'a soulagé, même s'il m'a fallu plusieurs mois pour l'admettre. Depuis, je suis une psychothérapie parce que je n'ai toujours pas confiance en moi. »*

Une souffrance qui conduit parfois à la dépression

Certains enfants qui n'arrivent pas à s'épanouir sur un plan social, souffrent de solitude, se sentent rejetés et incompris. L'enfant, et plus particulièrement l'adolescent, se juge à travers le regard de l'autre. Les surdoués ne se reconnaissent pas dans les modèles de pensée prônés par notre société, par les enfants de leur âge. Leurs goûts diffèrent, leurs envies, leurs besoins aussi. Et la non réponse à leurs attentes les conduit à l'incompréhension et à des troubles du comportement. Pour les plus marqués, une dépression peut survenir. Ils se sentent inutiles, n'ont plus de repères sociaux puisqu'ils n'entrent dans aucune « norme ».

La dépression, même si elle reste rare, est plus courante au sein des populations d'enfants surdoués que les autres. Parmi les difficultés souvent avancées par les enfants, les insultes proférées à leur égard par les adolescents jaloux ou incompréhensifs : « ordinateur vivant, madame-je-sais-tout, l'intello… », pour les enfants en avance pour leur âge et dont la précocité est affichée ; pour les autres, les insultes plus générales pleuvent dès qu'ils sont en échec scolaire ou rejetés par leurs amis. La jalousie des autres enfants est un phénomène fréquent qui perturbe le bon équilibre des surdoués. Ils ont du mal à accepter les réflexions de leurs camarades envieux de cette situation et supportent difficilement les critiques.

Pour surmonter cette incompréhension, ils doivent faire preuve d'une solide confiance en eux, d'un sens de la répartie, d'un bon équilibre familial et avoir quelques vrais amis. Une thérapie, un changement d'établissement scolaire et un soutien familial seront indispensables pour remonter la pente.

Le rejet d'un groupe et l'abnégation de soi

Il arrive parfois que le rejet d'un groupe soit si fort qu'il conduit l'enfant à une extrême souffrance. Il mettra toutes ses forces à être comme les autres (on parle alors d'automutilation), essaiera par tous les moyens d'avoir des amis en allant parfois jusqu'à acheter l'amitié de ses camarades. Ces situations extrêmes débouchent sur une perte d'identité. L'enfant ne se retrouve pas dans le regard de l'autre, et ne sait plus qui il est. Lorsque la situation s'enlise, l'adolescent surdoué subit une inhibition intellectuelle et se rejette lui-même. Survient alors la dépression, l'auto-destruction par incompréhension de sa personnalité. Lorsque les enfants s'automutilent sans résultat, c'est-à-dire qu'ils sont toujours à l'écart, toujours exclus du groupe, ils peuvent faire une dépression psychologique parfois sévère. Le nombre des suicides chez les enfants surdoués est trois fois plus élevé que chez les autres enfants.

« J'ai tenté de me suicider parce que je trouvais que cela ne valait pas la peine de vivre dans ces conditions : sans amis, en échec scolaire, je ne savais pas que j'étais surdoué, je me trouvais différent et idiot de ne pas arriver à m'intégrer. Je trouvais que je n'étais rien, que je n'avais aucune personnalité » témoigne un jeune garçon de douze ans.

C'est une souffrance pour un enfant d'être rejeté de tous les groupes. D'autant plus lorsque l'on sait que la violence et la méchanceté des enfants sont parfois grandes. Les injures, les remarques, les humiliations, les disputes infligées à l'enfant provoquent en lui une blessure qui mettra du temps à cicatriser et qui ne pourra se faire que lorsqu'il aura compris sa précocité et que les parents auront fait les choix qui s'imposent pour le sortir de cette problématique.

Lorsque l'enfant souffre au sein de son école, certains professeurs réagissent. Mais face à leur méconnaissance et à leur ignorance du problème de la précocité intellectuelle, ils tentent d'intégrer l'enfant en difficulté et lui proposent de se plier aux règles du groupe, de courber l'échine, de rentrer dans le moule et de correspondre aux attentes des autres. Le surdoué doit alors, une fois de plus, faire des efforts pour être comme les autres, alors qu'il est si différent.

LA SCOLARITÉ

Sujet sensible, la question de la scolarité de l'enfant surdoué est toujours posée : faut-il lui faire suivre une scolarité dans un établissement normal, faire la démarche de l'inscrire dans une école pour enfant surdoué (on en compte peu en France), essayer une pédagogie parallèle (Montessori, Decroly…), ou tenter de lui offrir l'instruction à la maison ?

Et lorsque les parents décident de le laisser poursuivre sa scolarité dans un établissement normal, dès le plus jeune âge, les questions surviennent sur le niveau scolaire : faut-il le pousser à sauter une classe ? Quelles classes peut-il sauter ? Qui en prend la décision ? Faut-il lui imposer de sauter cette classe ? Au contraire, n'est-il pas préférable de le laisser au niveau correspondant à son âge et attendre qu'il mûrisse ?

Les enjeux de la scolarité de l'enfant surdoué

Il est toujours délicat de proposer des solutions globales alors que chaque enfant est unique. Nous allons toutefois essayer de considérer les diverses attitudes que l'on peut adopter et des témoignages appuieront nos explications. Mais c'est aussi à vous, parents, selon vos moyens, votre lieu de résidence, l'environnement familial, ainsi que les envies, les besoins et le tempérament de votre enfant, d'analyser ce qui lui convient le mieux. Et lorsqu'il est en âge de choisir, c'est avec son accord que cette décision doit être prise.

Il ne faut donc, en aucun cas, généraliser les objectifs : les parents ne doivent pas être dans l'unique attente des résultats scolaires ; l'épanouissement d'un enfant, l'harmonie de son éveil et son intégration dans sa classe seront plus importants que les notes obtenues, à condition que celles-ci restent dans la moyenne, bien entendu.

La réussite scolaire, un paramètre parmi d'autres

Le rôle de la scolarité, appuyée par l'éducation des parents, est de permettre aux enfants d'acquérir une grande richesse culturelle et d'ouvrir la porte à l'expression de leur pensée. L'enjeu premier de l'instruction n'est pas la compétition scolaire ni la course aux excellents résultats, mais la recherche de l'équilibre entre une scolarité harmonieuse et un développement affectif et social épanoui.

Si d'autres cultures mettent en avant les surdoués, cherchent à étudier leur comportement, les aident à réussir, leur proposent des situations plus adaptées, en France, les solutions proposées pour ces enfants différents restent peu nombreuses, l'égalité étant une valeur primordiale, au détriment parfois de la quête d'une pédagogie plus adaptée.

Les établissements de l'Éducation nationale n'ont jamais vraiment cherché à prendre en compte les enfants surdoués. Ils n'intéressent personne ; seuls les jeunes en difficulté ont éveillé l'attention des responsables. Malheureusement, de nombreux surdoués sont en échec scolaire ! Alors, pourquoi ne pas reconsidérer le problème ? Le débat est toujours d'actualité et aucun des responsables successifs n'a jamais cherché à tenir compte de cette question. Car, créer des écoles, des structures ou des possibilités adaptées pour les enfants surdoués, ne ferait qu'accentuer la différence avec les autres enfants « normaux ». Mais on peut se demander s'il vaut mieux laisser les jeunes surdoués s'ennuyer sur les bancs de classes inadaptées à leurs besoins réels…

Les enseignants et l'équipe pédagogique

Les enseignants et les directeurs d'établissements jouent un rôle majeur dans le bien-être de l'enfant surdoué au sein de son école. Au-delà de leurs compétences scolaires, leur attitude à l'égard de l'enfant permet bien souvent de dédramatiser une situation et de l'aider à se sentir mieux accepté au sein de sa classe. L'attention et la considération que lui apporte le professeur, le fait de se sentir compris et soutenu, donne au surdoué une plus grande confiance en lui et la possibilité de s'épanouir. Ce sont d'ailleurs souvent les professeurs qui convoquent les parents pour leur signaler leur étonnement devant les facilités de leur élève.

A contrario, un professeur méprisant devant un élève surdoué, cherchant à le déstabiliser, n'acceptant pas cette différence et le fait que l'enfant ait une avance scolaire ou, au contraire, qu'il se trouve en situation d'échec, ne peut que nuire au développement et à l'intégration de cet enfant en milieu scolaire.

Enfin, certains directeurs d'établissements ou instituteurs émettent des réserves quant au fait de sauter une classe et conduisent par conséquent l'enfant à « stagner » à un niveau qui ne satisfait pas ses besoins. Une attitude qui peut entraîner le surdoué vers un désintérêt pour l'école et un refus de travailler.

Le contact entre les parents et le corps enseignant sera donc garant du respect de l'équilibre de l'enfant dans son école et au sein de sa classe.

L'intégration
dans une classe d'élèves plus âgés

Avoir une année d'avance à l'école est une situation surmontable pour l'enfant, mais au-delà de deux ans de différence avec les autres élèves de la classe, la question est plus délicate. Si le niveau scolaire ne présente pas de difficulté, il n'est pas toujours aussi facile de bien s'intégrer dans un groupe où les élèves ont deux, trois, voire quatre années de plus. Et ce décalage est encore plus flagrant lorsque l'on arrive à l'adolescence. Un jeune de dix ans, au visage encore enfantin, n'aura ni les mêmes envies, ni les mêmes goûts que les élèves de treize ans qui constituent le reste de la classe. Jalousies, moqueries, tel est souvent le lot quotidien.

Pour parer à ces railleries, seul le caractère de l'enfant peut renverser la situation. S'il est doté d'une forte personnalité, indifférent aux interjections de ses camarades, il pourra alors suivre sa scolarité de manière sereine. En revanche, s'il est introverti, réservé, timide, s'il n'a pas la chance d'avoir un physique jovial, il deviendra parfois le bouc émissaire. Cette mauvaise adaptation de l'enfant à son milieu scolaire est parfois le point de départ de difficultés scolaires. Quelques surdoués, heureusement, savent s'intégrer et gérer leurs relations avec leurs aînés.

Gérer les conflits avec intelligence

« *J'ai trois ans d'avance en classe*, témoigne Angélique. *Je suis fille unique et mes parents m'ont toujours beaucoup entourée. C'est sans doute pour cela que je progresse à mon rythme sans trop de difficultés et que je sais me protéger contre les "agressions" extérieures que je subis tous les jours, surtout de la part des garçons et d'autant plus depuis que je suis au lycée : "On ne veut pas de toi avec nous… n'écoute pas nos conversations… tu ne vas rien comprendre… c'est pas de ton âge… retourne à la crèche…" Mais je sais qu'ils ne le font pas méchamment et que je suis réellement différente d'eux. Je n'ai pas les mêmes goûts, les mêmes envies ou les mêmes besoins. Je ne me maquille pas, je n'ai pas de petit ami. Dans le fond, ils ont raison. Heureusement, j'ai de très bonnes amies en dehors de l'école, notamment au basket, et les filles de ma classe sont gentilles avec moi, même si je ne serai jamais très intime avec elles.* »

Un jeune de douze ans, entré dans la pré-adolescence et qui vit entouré d'adolescents de quinze ans, se trouve face à des problématiques ou des conflits relationnels d'adolescents qu'il n'est pas en mesure d'appréhender sur un plan affectif. Ce malaise, qui varie selon le tempérament des enfants, peut être imperceptible pour les parents mais difficile à vivre pour l'enfant.

Si la solution de sauter des classes peut être la bonne pour certains enfants précoces, elle est insuffisante et inappropriée pour les surdoués au Q.I. particulièrement élevé. Ces derniers ne parviennent pas à trouver une harmonie sur un plan affectif et social (un écart trop important existe avec les autres élèves pour se faire des amis) et intellectuel ; l'enfant a donc besoin d'autres formes de stimulations pour s'épanouir.

Les détracteurs du principe de « saut de classes » avancent que faire brûler les étapes ne peut que nuire à l'épanouissement de l'enfant : il vivra une enfance et une adolescence difficiles, avec peu ou pas d'amis, et n'aura qu'un seul but, celui de briller dans ses études. La pression que les parents mettent sur leur enfant serait, dans certains cas, trop grande. A l'inverse, d'autres estiment qu'il est absurde de regrouper les enfants sur un même niveau en considérant seulement leur date de naissance mais avancent que leurs facultés intellectuelles sont le seul critère de sélection valable.

Un enfant est-il plus heureux lorsqu'il peut satisfaire son besoin de socialisation ou lorsqu'il réussit à obtenir un diplôme avec trois années d'avance ? Est-ce que l'on peut s'épanouir en brillant seulement dans ses études ? Le sacrifice d'une adolescence normale est-il le prix à payer pour réussir ? S'il est parfois difficile de faire un autre choix que celui de sauter des classes, les parents devront tout de même réfléchir à ces questions, en parler avec leur enfant si celui-ci est en mesure de comprendre, et être à l'écoute permanente de ses besoins.

Dans quelles mesures et jusqu'où pousser son enfant dans ses études ?

Chaque cas étant particulier, il est difficile de tirer des conclusions de manière globale et de mesurer comment et jusqu'où les parents peuvent se permettre de pousser leur enfant dans sa scolarité. En revanche, certains éléments méritent d'être soulignés :

• Il est difficile de forcer un enfant à s'intégrer dans une classe s'il le refuse, ne se sent pas à l'aise et/ou s'il est rejeté par ses camarades.

• Il est délicat d'obliger un enfant à sauter une classe s'il ne le désire pas, même si son niveau le permet (il faut dialoguer et sans doute attendre qu'il mûrisse davantage et qu'il en manifeste le besoin et le désir).

• Il est bon d'accompagner l'enfant dans son envie

d'avancer, de l'entourer et d'écouter ses revendications et ses besoins.

Et quel que soit le cas de figure dans lequel se trouve le surdoué, il faut l'accompagner dans sa réflexion.

Les enfants manifestent parfois leur ennui en classe et sont désireux, compte tenu de leur niveau, de passer dans une classe supérieure. Les parents ont parfois du mal à accepter cette idée et repoussent d'année en année les démarches pour accéder à cette demande. Alors, faut-il répondre aux attentes et aux espoirs de son enfant ou au, contraire, le laisser avec les élèves de son âge ?

« A la fin de l'année de grande section de maternelle, ma fille, Jeanne, savait déjà parfaitement lire et écrire, témoigne Sylvie. Sous l'impulsion de sa maîtresse, nous lui avons fait passer des tests d'évaluation qui ont révélé un QI de 139. Mon mari était très réticent à l'idée de lui faire sauter le CP, classe qu'il jugeait indispensable, tant au niveau scolaire que comme gage d'une bonne insertion sociale et amicale. Contre l'avis de la maîtresse du CP mais en suivant notre désir, Jeanne est donc entrée en CP. Ravie de retrouver sa meilleure amie, elle s'est pourtant très vite ennuyée, et nous a exprimé tout au long de l'année son désir de sauter une classe. Nous ne l'avons pas écoutée. L'année suivante, sur insistance de la maîtresse, et après une longue concertation avec mon mari et le psychologue, Jeanne a sauté le CE1 et a intégré le CE2. Ce qui est dommage, c'est qu'elle a sans doute perdu un an. Aujourd'hui, nous ne regrettons pas ce choix, mais nous aurions dû écouter Jeanne plus tôt et lui faire confiance. »

Pour assumer la scolarité de leur enfant, les parents doivent agir en toute confiance, car lorsqu'une mauvaise décision est prise, l'échec est très mal vécu par les parents. Et l'enfant, n'ayant pas réussi à satisfaire à la volonté de ses parents, éprouve un sentiment de culpabilité.

Si le fait de sauter une classe ne suffit pas à l'enfant sur-doué, quelles autres solutions s'offrent à lui ? Les écoles spécialisées pour surdoués et les classes mixtes ont leurs partisans ; d'autres parents cherchent un moyen d'appro-fondir et d'enrichir les matières enseignées en classe.

Les écoles pour enfants surdoués

A l'annonce de la précocité de leur enfant, certains parents désirent immédiatement l'inscrire dans une école spécialisée. En France, un seul établissement privé accueille exclusivement des enfants surdoués (voir le cha-pitre « Choisir une autre scolarité »). Les parents font en général cette démarche lorsque les autres solutions, et notamment la poursuite de la scolarité dans une école normale, ne suffisent plus aux besoins de l'enfant.

Les établissements pour surdoués, en France comme à l'étranger, prennent en charge des enfants qui ne trou-vent pas de structures satisfaisant leurs besoins, leur per-mettant de parvenir à l'excellence et de tirer tous les bénéfices de leurs capacités. Ces enfants au Q.I. élevé viennent dans ces établissements pour progresser dans un cadre stimulant qu'ils n'ont pas trouvé dans les écoles traditionnelles. Et, contrairement à ce qui se passe dans un établissement classique, les enfants se sentent « nor-maux », comme les autres élèves.

> « *J'aime être avec des enfants qui ont le même niveau, le même rythme, cela est plus facile pour moi* » témoigne un jeune élève.

Le rythme imposé diffère fondamentalement de celui des établissements classiques. L'ambiance semble cha-leureuse et les premiers objectifs visés ne sont pas les diplômes (bien que, chaque année, de très jeunes bacheliers sortent de cet établissement !) mais l'envie d'apprendre pour soi, pour avoir de solides connaissances. On exige des élèves de la volonté, davantage de travail, de la discipline, de l'attention et de la rigueur. En contrepartie de l'exigence de travail, le corps enseignant et le directeur de l'établissement tentent d'offrir à l'enfant un cadre sécurisant où il se sent bien au niveau affectif.

En toute connaissance de la problématique soulevée par les surdoués, les professeurs ont une écoute plus attentive. Mis en confiance, les élèves progressent à leur rythme, sans craindre de poser toutes les questions qu'ils désirent et sans souffrir du regard des autres.

A l'encontre de ces écoles, certains parents ou psychologues évoquent leur crainte que ces enfants soient mis dans un ghetto et se sentent exclus, ou non intégrés, du reste de la société. Et implicitement, l'émulation est telle dans les classes que la pression est considérable. Derrière la volonté des enfants et celle des parents, il y a une grande attente de la part des parents et des enseignants. Quant à la localisation de l'école, elle contraint des familles entières à déménager, ce qui peut faire éclater le noyau familial.

Ce type d'établissement est donc un choix possible mais qui doit résulter d'une volonté réelle de l'enfant et non pas d'un « caprice » des parents.

Les établissements à classes « mixtes »

S'il n'existe pas de structure publique réellement adaptée aux enfants surdoués, l'Education nationale autorise les établissements à créer des classes d'enfants précoces ou à adapter les niveaux, les horaires et les emplois du temps. Malheureusement, trop peu d'établissements publics se lancent dans l'aventure (par manque de moyens et de connaissances) et le circuit privé laisse parfois une grande place à l'improvisation. Les dérives sont alors nombreuses (voir le chapitre sur « Choisir une autre scolarité »).

Ces écoles à classes mixtes rassemblent à la fois des enfants surdoués et des enfants « normaux ». Ce cadre permet à l'enfant précoce d'avoir une meilleure écoute de la part de ses professeurs, ces derniers répondant à leurs demandes en connaissance de cause. Les enfants se sentent souvent très à l'aise dans ces écoles, la souplesse de l'encadrement leur permettant de progresser à leur rythme, l'écoute des professeurs étant plus grande et la possibilité des tisser des liens avec des enfants comme eux ou du même âge étant plus importante.

Ces établissements sont d'ailleurs souvent un bon moyen pour aider l'enfant surdoué qui est en difficulté scolaire à retrouver ses marques. Plus vigilants, les enseignants pourront l'aider à retrouver confiance en lui, à mieux gérer l'image de sa précocité, à se sentir compris et moins seul. L'enfant peut avancer à son rythme, sauter des classes et passer d'un niveau à l'autre sans que cela pose trop de difficultés. De même, les directeurs de ces établissements incitent les parents à maintenir un contact étroit avec les professeurs, pour suivre les progrès de l'enfant et déceler au plus tôt ses éventuels soucis, tant sur un plan scolaire que relationnel.

Certaines écoles à classes mixtes proposent aux enfants de suivre leur scolarité avec, éventuellement, une ou deux années d'avance mais surtout, parallèlement aux études et dans le cadre de l'école, la possibilité de suivre des cours d'approfondissement pour enrichir leurs connaissances dans un domaine particulier. On peut espérer voir se développer davantage d'écoles « mixtes » ouvertes à ces solutions qui semblent satisfaire les besoins des enfants précoces, sans nuire à leur scolarité. Cela permet aux jeunes surdoués de poursuivre leurs études dans un cadre normal tout en assouvissant leur soif d'apprentissage.

Des moyens d'approfondir
les matières enseignées en classe

Sans pour autant être dans un établissement à classes « mixtes », mais par le biais d'associations ou par leurs propres moyens, les enfants précoces peuvent aussi approfondir les matières enseignées à l'école et s'enrichir de nouvelles expériences. Assoiffés de connaissance, les surdoués sont constamment à la recherche d'informations complémentaires, d'études plus poussées, de réflexions avancées.

Plusieurs solutions s'offrent à eux :

• Rejoindre un centre d'activités extrascolaires pour enfants surdoués (voir le chapitre sur « Les activités extrascolaires »). Découvrir de nouvelles activités, développer d'autres capacités, aller à la rencontre de jeunes semblables, telles sont les possibilités offertes par ces associations. C'est un bon moyen de concilier une scolarité traditionnelle (avec de l'avance ou, au contraire, du retard) et de satisfaire ses besoins intellectuels.

• Suivre des cours par correspondance pendant les vacances scolaires et les week-ends. L'inscription à des cours à distance permet à l'enfant de satisfaire son besoin d'approfondir et d'enrichir à son rythme les matières qu'il désire. Il y trouve les réponses à ses questions et pourra satisfaire sa curiosité. S'il est heureux dans sa scolarité, bien intégré dans son établissement et dans sa classe, que son avance — si avance il y a — est bien vécue, il peut alors combler ce manque d'informations grâce à des cours à distance. C'est un bon moyen de trouver son équilibre lorsque l'école dans laquelle il est inscrit lui convient.

Vous pourrez trouver auprès de ces organismes d'enseignement à distance, comme le CNED (Centre National d'Enseignement à Distance) par exemple, une aide sous forme de documents pédagogiques correspondant au niveau et à l'âge de votre enfant pour approfondir les enseignements de l'école.

Imaginer de nouvelles structures scolaires

Incontestablement, il manque, dans la plupart des pays, des structures conçues pour les enfants surdoués. Cela fait seulement quelques dizaines d'années que l'on s'attache à mieux comprendre les enfants précoces. Mais il faudrait mettre en place de véritables recherches et réfléchir, avec les moyens nécessaires, à la manière dont on pourrait aider les enfants surdoués à s'intégrer au système scolaire actuel, tout en gardant une certaine souplesse et en mettant à profit leurs capacités intellectuelles.

Si les questions se posent pour tous les parents et que certains font le choix d'inscrire leur enfant dans une école adaptée, celle-ci est en général privée. On peut donc en conclure que les enfants nés dans un milieu social et intellectuel défavorisé ne bénéficieront pas de l'aide et du soutien que peuvent avoir les enfants nés dans un milieu favorisé. Il serait souhaitable que tous les enfants puissent bénéficier d'une structure et d'une aide dépendant du ministère de l'Education nationale. Ils seraient ainsi pris en main plus tôt et auraient autant de chances de réussir que les autres. Aujourd'hui, le quotient intellectuel de ces enfants est souvent découvert tardivement, alors qu'ils sont déjà en situation d'échec scolaire.

Il faut que, dans les années à venir, les pouvoirs publics se préoccupent davantage des enfants précoces. Même si certains réussissent leur vie affective, sociale et scolaire, la souffrance de quelques-uns est réelle, le désarroi des parents existe, le « gâchis » de leur potentiel est souvent dénoncé et le manque de structures adaptées à leurs besoins évident. Les pouvoirs publics doivent avoir conscience aujourd'hui du risque d'échec qui menace certains de ces enfants et de l'urgence à créer pour eux des aménagements. Ils sont, eux aussi, des enfants en difficulté, au même titre que les autres. Même s'ils sont considérés comme une certaine « élite » intellectuelle, ils n'en demeurent pas moins des individus parfois fragiles.

Aux Etats-Unis, les recherches ont commencé plus tôt qu'en France et les Américains proposent depuis plusieurs années déjà des solutions concrètes, que l'on est en droit de cautionner ou non. Les écoles spécialisées pour surdoués sont plus nombreuses, les cours parallèles (stages d'été intensifs ou suivi régulier) aussi. Le choix qui s'offre aux parents est plus large. Un département spécialisé et reconnu par l'Administration américaine a été créé pour aider les enfants surdoués. Ces enfants sont enfin reconnus, même si les droits de cette administration sont encore limités et que les administrateurs se contentent parfois de seuls rapports. Dans certains Etats américains, les surdoués sont considérés au même titre que les enfants handicapés et peuvent ainsi bénéficier de mesures particulières et d'une instruction personnalisée. Cela a au moins le mérite d'exister. C'est sans doute un premier pas, que nous devrions suivre. Après, à chacun de savoir ce qu'il désire mettre en place pour ces enfants, en tenant compte de sa tradition éducative et familiale, et de sa culture.

Mais quels que soient les tentatives mises en œuvre pour aider les enfants surdoués, on remarque que l'attitude des pouvoirs publics est souvent ambivalente : faut-il privilégier la réussite intellectuelle de ces enfants ou tenter, au contraire, de privilégier une certaine équité entre tous les enfants, qu'ils soient surdoués ou non ?

LES DIFFICULTÉS
SCOLAIRES

Si de nombreux enfants précoces suivent une scolarité régulière, d'autres éprouvent quelque peine à trouver leur place et leur rythme. Tous les enfants surdoués, fort heureusement, ne rencontrent pas de difficultés scolaires mais on estime cependant que, arrivés en classe de troisième, près d'un tiers des enfants surdoués se trouvent en situation d'échec scolaire. Si cette constatation semble paradoxale, ce chiffre est pourtant avancé par les spécialistes.

Ce chapitre, sans doute un peu alarmiste et pessimiste, ne reflète pas la majorité des cas mais il a sa place ici, pour que les parents sachent qu'un enfant surdoué peut se trouver en échec scolaire, même s'il est toujours difficile de comprendre qu'un individu au quotient intellectuel au-dessus de la norme puisse rencontrer des problèmes au cours d'une scolarité dans laquelle des enfants « normaux » s'épanouissent.

Une des premières difficultés liée à la scolarité de l'enfant précoce est de s'épanouir dans sa classe, tant sur un plan intellectuel que social. Et, pour quelques-uns, concilier ces deux paramètres n'est pas chose aisée. Le caractère de l'enfant, ainsi que son environnement affectif et familial, sont deux facteurs déterminants de sa réussite scolaire.

Les raisons de l'échec scolaire

Trop souvent, les parents et les enseignants entendent la même rengaine : *« Je m'ennuie en classe. »* L'enfant termine son exercice avant tout le monde, puis son esprit vagabonde, il se met à rêver, avant de se désintéresser totalement de la leçon en cours. Comme ce jeune garçon de sept ans qui avoue : *« Je m'ennuie chaque jour un peu plus. Plus les jours passent, plus je m'ennuie en classe. »*

Ces enfants qui s'ennuient et rêvent huit heures par jour, sont curieusement des enfants hyperactifs et qui demandent une attention constante. Car, lorsque les enfants s'ennuient sur les bancs de l'école, ils éprouvent un énorme besoin de se libérer et de se défouler de leurs tensions.

C'est ainsi que naissent souvent les difficultés scolaires. Ennui, rêverie, puis enfermement dans son propre monde... le travail attendu est effectué rapidement au début, mais l'élève ne fournit aucun effort particulier d'apprentissage. Les jours, puis les mois et les années passent, et l'enfant se détache au fur et à mesure de son travail. Il s'ennuie, trouve le temps long, répond vite aux questions, ne fait aucun effort et se laisse porter sans acquérir une méthode de travail. Si, au début, ses facilités lui permettent de passer d'une classe à l'autre, plus il avance dans ses études, plus il a besoin d'une « méthode » de réflexion, et plus il a de chances de se trouver en difficulté devant une problématique donnée. Les mauvaises notes suivent, les parents et les professeurs tentent de comprendre les dysfonctionnements mais ne trouvent pas de solution. Car, bien souvent, la précocité de l'enfant n'a pas été décelée.

Pour d'autres surdoués, leur précocité a été découverte en maternelle mais leur échec scolaire s'explique par une envie profonde de s'intégrer et de ressembler aux autres enfants. Le jeune se met lui-même au-dessous de son niveau réel pour rester au même stade que ses amis et continuer à être accepté par eux. L'envie et le besoin de reconnaissance sociale et amicale effacent toutes les capacités intellectuelles. Ces enfants surdoués privilégient l'amitié, au détriment de leur effort et de leur réussite. Il semble à leurs yeux et dès les petites classes, plus difficile de se faire des amis que de réussir en classe. Si, pendant les premières années, les enfants suivent facilement les cours en obtenant des notes correctes, peu à peu le niveau scolaire augmente et, n'ayant pas une base d'apprentissage suffisamment solide, ils perdent pied et échouent.

D'autres causes d'échec scolaire chez l'enfant surdoué ont été rapportées par des études menées récemment aux Etats-Unis. Ces dernières expliquent le retard scolaire des enfants à cause de troubles liés à la lecture et au langage en général, même s'ils font preuve d'une grande avance par ailleurs. Il n'est pas rare, notamment chez les garçons, de constater que l'enfant sait parfaitement lire, mais que son écriture est en revanche laborieuse, les lettres sont mal formées et ses écrits sont parfois illisibles. Pour expliquer cette différence entre l'acquis de la lecture et les lacunes en écriture, certains psychologues avancent que la pensée de l'enfant est si rapide qu'il n'arrive pas à transcrire sur papier aussi vite qu'il le souhaiterait.

Les raisons des difficultés scolaires

Les causes de l'échec scolaire peuvent provenir du système éducatif et d'apprentissage, ou de l'enfant lui-même. La scolarité peut être mal vécue à cause d'une mauvaise répartition des élèves, d'une différence de niveau ou d'un manque d'écoute de la part des instituteurs ; l'origine de la difficulté scolaire peut provenir d'une impossibilité de s'intégrer, d'un sentiment de différence non expliquée (précocité non découverte) ou d'une difficulté à communiquer.

L'échec scolaire est parfois aggravé par une non compréhension de la problématique des surdoués par le corps professoral. Parfois, face à un mauvais bulletin scolaire, le conseil de classe décide de faire redoubler l'enfant. L'avis de ce conseil est fonction des notes de l'élève, qui ne sont bien entendu pas bonnes. Les professeurs ont décelé une difficulté mais ils n'ont pas saisi la complexité psychologique de l'enfant. Le conduire à redoubler une classe ne fera qu'aggraver ses difficultés :

• L'enfant ne se sentira pas mieux sur un plan relationnel dans sa nouvelle classe car les autres seront plus jeunes que lui et ne partageront toujours pas les mêmes centres d'intérêt.

• Il parviendra difficilement à obtenir de meilleurs résultats car c'est tout son système d'apprentissage et l'accumulation d'années d'échec qui sont en cause.

• L'enfant se sentira encore plus différent des autres enfants et, en tentant de se mettre à leur niveau sur un plan amical, il entrera dans un processus « d'automutilation » et de perte de confiance en lui.

Enfin, si la sonnette d'alarme n'est pas tirée à temps par un professeur, un parent ou un psychologue, l'enfant aura perdu beaucoup de temps et de confiance en lui. Il y aura non seulement un travail de réapprentissage à faire sur un plan scolaire, mais il faudra lui proposer un soutien psychologique pour qu'il retrouve confiance en lui, soit de nouveau motivé et puisse se construire socialement.

Intervenir dès que les difficultés commencent

Les difficultés posées par la scolarité de l'enfant sur-doué et son intégration dans une classe peuvent survenir à tout âge, mais apparaissent souvent dès les petites classes.

« Thierry est entré directement et en milieu d'année en CE1 à l'âge de quatre ans et quatre mois et c'est là, dès les premiers jours de classe, que les problèmes ont commencé, raconte cette maman. Je n'ai réalisé l'ampleur des problèmes que des années après. Au bout de quelques jours d'école, la maîtresse (qui était une remplaçante) m'a convoqué pour me dire que mon fils mentait, qu'il disait avoir quatre ans et demi et qu'il devait cesser ses mensonges. Je dois dire qu'il était extrêmement grand en taille mais le directeur aurait dû préciser à la jeune institutrice l'âge réel de mon fils. Cela aurait été la moindre des choses et cela aurait évité que mon fils pleure et se sente incompris dès sa première rentrée scolaire... »

Cette anecdote démontre comment un manque d'information et une attitude d'incompréhension de la part des professeurs peuvent être à l'origine de troubles dans la scolarité des enfants, surtout dans les classes primaires. Certains surdoués expriment leur mal-être par des phrases qui semblent anodines. Comme cet enfant de tout juste six ans en classe de CE 2 qui répétait toujours : *« Je ne veux pas travailler, je suis trop petit. »* Les parents qui connaissent les problèmes que peuvent rencontrer ces enfants, doivent être plus à l'écoute des plaintes parfois dissimulées derrière de telles remarques.

La réussite scolaire d'un enfant dépend aussi des bases avec lesquelles il a amorcé les premières années de l'école. Car, plus les professeurs sont attentifs à l'attitude de tous leurs élèves en classe, plus le suivi des devoirs par les parents est consciencieux, plus tôt on pourra déceler la précocité d'un enfant et trouver la solution la mieux adaptée à son problème.

Premiers de la classe et échec scolaire : pourquoi tant de différences d'un enfant à l'autre ?

Chaque enfant est unique, avec des besoins différents selon son niveau, ses difficultés rencontrées, l'âge auquel a été découverte sa précocité intellectuelle, son cadre familial, la catégorie socioprofessionnelle de sa famille, ainsi que sa place au sein de sa fratrie. Ces paramètres conditionnent l'éveil et l'épanouissement du jeune surdoué au niveau social, amical et scolaire.

Les différences d'un enfant à l'autre se ressentent dès le plus jeune âge. L'environnement familial joue un rôle primordial. Les parents, attentifs aux besoins de leur enfant, vigilants quant à ses envies, ses difficultés, ayant une ouverture d'esprit et un dialogue suffisants pourront entourer leur enfant et prévenir toutes les difficultés. Etablir un lien entre le corps professoral et les parents est aussi un facteur favorisant la réussite scolaire de l'enfant. N'oublions pas que celle-ci passe avant tout par l'épanouissement affectif et moral de l'enfant. Cependant, lorsque la précocité est révélée dès le plus jeune âge, on arrive en général à surmonter les besoins scolaires des enfants. En revanche, lorsque cette précocité est détectée plus tardivement, il est souvent déjà trop tard pour anticiper un échec scolaire ou des difficultés d'adaptation.

Trouver des solutions
et motiver l'enfant en situation d'échec

Lorsque les difficultés scolaires existent depuis long-temps et que les parents n'ont pu découvrir la précocité de leur enfant dès les premières années, il leur faut alors trouver la solution la mieux adaptée au cas et à l'âge de leur enfant. Celle-ci sera prise en concertation avec l'enfant et avec l'aide des instituteurs et, éventuellement, d'un psychologue. Voici quelques démarches qui peuvent être entreprises pour aider le surdoué en difficulté :

• Se remettre au bon niveau dans une classe adaptée et avec un soutien scolaire.

• Intégrer une classe comptant déjà plusieurs enfants précoces.

• Entrer dans un établissement spécialisé.

• Avoir un accompagnement et un suivi psychologiques.

Certains enfants dont la précocité est décelée très tard (vers l'âge de treize, quatorze ans) éprouvent un besoin immense de se sentir entourés et compris par leurs parents. Malheureusement aussi, plus la précocité est décelée tardivement, plus le travail à faire pour aider les enfants est long. Devenus adolescents, et après avoir souffert pendant leurs premières années scolaires d'un manque de compréhension, ils éprouvent des difficultés d'intégration au sein d'un groupe scolaire structuré. Pour ces enfants, il est parfois utile d'associer un soutien psychologique à l'aide parentale, souvent insuffisante. Un soutien permettant à l'enfant de comprendre les raisons de son échec et de prendre conscience des capacités dont il fait preuve. Cela lui redonnera confiance en lui et l'aidera à surmonter les épreuves.

Accompagner l'enfant

L'investissement des parents, face à un enfant en échec scolaire, est capital. Ils doivent faire preuve de patience, de compréhension et d'écoute. Quelles que soient les raisons des difficultés scolaires du surdoué, leur attitude est influencée par divers paramètres, et notamment :

• Le suivi de la scolarité, par les parents, depuis les plus petites classes.

• Le caractère de l'enfant.

• L'âge de l'enfant (s'il est en classe primaire ou en secondaire).

• Le degré de l'échec scolaire (si les difficultés scolaires sont récentes ou latentes depuis plusieurs années).

On est toujours bien maladroit devant un enfant en situation difficile, et d'autant plus lorsqu'il est surdoué. Pour qu'il puisse s'en sortir, il convient de lui expliquer les raisons de son attitude par rapport à la structure scolaire. Pour cela, plusieurs points entrent en jeu :

• Le manque de confiance en soi : sentiment de ne pas être à la hauteur, sentiment souvent lié aux résultats scolaires.

• Le désintérêt pour l'école telle qu'elle existe aujourd'hui, avec sa pédagogie, sa hiérarchie, ses niveaux, ses matières et, d'une certaine manière, sa rigidité.

• La solitude et la non-intégration sociale, le sentiment d'exclusion à cause d'une « différence » qu'ils ne peuvent identifier sans une aide extérieure (évaluation psychologique).

Quand l'enfant surdoué est en souffrance à l'école parce que ni ses parents, ni les professeurs n'ont su percevoir sa précocité, il est dommage que l'Education nationale n'apporte que de vagues solutions. Certains parents se sentent parfois désarmés face aux difficultés scolaires de leur enfant. Pour permettre à l'enfant de trouver une nouvelle motivation, les parents doivent, dans un premier temps, l'aider à comprendre les raisons qui ont amené cette situation. La consultation psychologique lui permettra de formuler ses difficultés. En quelques séances, et après des tests d'évaluation de quotient intellectuel, le psychologue guidera l'enfant pour :

• Connaître son quotient intellectuel et pouvoir se situer par rapport à la norme.

• Retrouver confiance en lui par une thérapie adaptée à ses difficultés, qu'elles soient scolaires, sociales, familiales ou personnelles.

• Lui permettre de reprendre un chemin pédagogique qui lui convient : trouver une école adaptée, réintégrer un cursus normal à un autre niveau, préférer l'école à la maison, prendre une orientation différente s'il est en âge de quitter l'école.

Quelle attitude adopter en famille ?

Bien souvent, les instituteurs, les parents et les directeurs d'établissements tentent, par méconnaissance du problème de la précocité, de faire adhérer l'enfant au système scolaire en place. Or, ce système n'est pas toujours adapté aux surdoués. Malheureusement, on ne peut pas faire changer les enfants ; c'est donc au système de s'adapter. Lorsque celui-ci n'est en l'occurrence pas modulable — ou peu — les parents doivent faire preuve d'esprit d'analyse, de réflexion, de compréhension, pour trouver l'option appropriée. La concertation avec les professeurs et un psychologue est alors très utiles, tant pour les adultes que pour les enfants.

Du côté des parents et de l'environnement proche, une telle démarche nécessite une prise de conscience. Parents, frères et sœurs, amis, famille, tous jouent un rôle prépondérant dans le soutien dont a besoin le jeune surdoué.

Un appel à l'aide

Les mauvaises notes obtenues par l'enfant sont aussi parfois un appel au secours : *« Je ne suis pas bien en classe, je m'ennuie, ce système ne correspond pas à mes besoins, aidez-moi »* semblent dire les enfants en échec scolaire.

Il peut parfois exister un sentiment de punition, associé dans certains cas à l'automutilation que s'infligent les enfants parvenus à une grande souffrance psychologique ; l'enfant se punit de son incapacité à s'intégrer dans sa classe. Si le soutien psychologique est important, l'attitude de l'entourage proche est essentiel :

• Les parents cesseront, si tel était le cas, leurs réprimandes liées aux résultats scolaires ; l'enfant a besoin de compréhension et d'aide. Plus les parents émettent un jugement négatif sur ses notes, plus l'enfant perd confiance en lui. Il faut l'aider à comprendre les raisons de ses erreurs, tenter de revenir sur l'incompréhension. Le langage et la discussion remplaceront les punitions.

• Les frères et sœurs ne changeront rien à la relation qu'ils ont avec leur frère ou sœur surdoué(e) ; on essaiera de trouver les mots justes pour leur faire prendre conscience du problème, sans pour autant leur donner un sentiment de « dévalorisation ». (Voir aussi le chapitre sur « Le bonheur en famille ».)

Donner un nom aux difficultés

« J'avais conscience que mon frère était en difficulté, raconte le frère d'un enfant surdoué. *Mais mes parents n'ont jamais parlé de ce problème, et refusaient d'ailleurs de parler de mon frère, sans doute pour me préserver. Moi, au contraire, j'aurais aimé qu'ils m'expliquent pourquoi je n'étais pas comme lui et pourquoi il souffrait. Ce silence me faisait penser qu'un lourd secret entourait notre famille ou que j'étais la cause de sa souffrance. »*

La relation avec les enseignants

Les enseignants ont aussi leur part de responsabilité dans l'aide à apporter à l'enfant. Les parents prendront rendez-vous avec l'instituteur, lui expliqueront les raisons de cette convocation et tenteront de voir comment, en tant que professeur, il perçoit leur enfant :

• Son attitude avec les autres élèves : ses amis, les conflits, les comportements singuliers (extrême solitude, caractère agressif, voire violent...), l'intégration dans l'école.

• Le caractère de l'enfant (hypersensibilité, fragilité émotionnelle, timidité...).

• Les difficultés rencontrées dans les différentes matières : matières littéraires, scientifiques, problème de mémorisation, de compréhension, d'expression orale, écrite, de vocabulaire, d'attention, de concentration.

L'enseignant, aidé éventuellement des professeurs des précédentes années, conduira les parents vers une meilleure compréhension de l'enfant. Ils découvriront sans doute des aspects cachés de la personnalité de l'enfant ou des attitudes insoupçonnées. Il est sans doute utile de prendre des notes et d'en parler avec le psychologue afin de faire un bilan plus général de l'enfant.

Il est important de suivre l'enfant tout au long de l'année en prenant rendez-vous régulièrement avec son professeur pour faire le point, voir les progrès ou les lacunes dans les diverses matières. C'est une mesure préventive, de suivi de l'enfant précoce.

Il arrive parfois que certains professeurs, dans l'ignorance des questions soulevées par les surdoués, amènent les enfants à douter, et les parents à s'interroger. Si, aujourd'hui, les mentalités changent et que l'on connaît mieux la question des surdoués, certains professeurs, dans le passé, menaient la vie dure aux enfants.

« Ma fille rentrait souvent en pleurs de l'école, elle avait de bons amis, suivait une scolarité en avance sans difficultés. Elle avait un réel problème avec les professeurs. Elle était réservée, timide, et l'un d'entre eux voulait sans cesse la mettre au défi devant les autres, pour qu'elle prouve ses capacités. Elle arrivait à résoudre les problèmes mais ne supportait pas cette pression psychologique et le fait d'être constamment mise en avant. On avait l'impression qu'il la testait en permanence. Quand elle échouait, il disait : finalement, tu n'es pas si intelligente que ça... Un autre professeur disait devant ma fille : tu n'es pas comme tout le monde, tu n'arriveras jamais à t'intégrer et un jour tu deviendras folle. Certains professeurs n'étaient pas du tout compréhensifs. L'un d'entre eux me disait toujours qu'elle partirait de chez nous, ou qu'elle se suiciderait. Pourtant, elle n'a jamais fait de dépression et aujourd'hui c'est une jeune maman épanouie et comblée. »

La rivalité que les enfants peuvent avoir avec les professeurs est parfois difficile à vivre pour les enfants. Conflits, tests, provocations : ils donnent alors l'impression de se mesurer à l'enfant avec l'envie, toujours, de le dominer. Lorsqu'ils sentent que l'enfant les surpasse, ils le vivent difficilement sur un plan personnel et remettent en question leur statut de professeur.

Les enseignants, au même titre que les directeurs d'établissements, devraient à leur tour suivre une formation adéquate pour reconnaître les enfants surdoués et les aider. Il faudrait mettre au point un processus de reconnaissance de ces enfants et de restructuration des codes scolaires. Un enseignant qui a dans sa classe un enfant précoce est bien souvent incapable de « gérer » son élève. Il interprète de façon erronée l'attitude de l'enfant : celui-ci est accusé d'hyperactivité lorsqu'il réclame davantage de stimulations, ou de troubles du comportement, ou systématiquement catalogué comme « rêveur, ne s'intéressant à rien, ne participant pas en classe » lorsqu'il s'ennuie. On attribue cette attitude à d'autres causes et l'on conduit dès le plus jeune âge ces enfants et leurs parents sur une mauvaise voie : enfant dissipé, hyperactif ou, au contraire, apathique, effacé, terne, triste, asocial. Non formés, les professeurs se contentent seulement de quelques schémas d'explication. Si une formation plus complète sur les enfants précoces existait, il faudrait aussi repenser au nombre d'élèves par classe. Un professeur qui instruit trente élèves ne peut être attentif à chacun d'entre eux comme il le devrait.

Mais on tombe aujourd'hui dans un autre travers : à force de vouloir médiatiser le problème des enfants surdoués, de crier haut et fort que « l'enfant qui dort en classe, s'ennuie parce qu'il est précoce »… ce phénomène conduit maintenant tous les professeurs à inciter les parents à faire passer une évaluation de quotient intellectuel à leur petit dernier qui dort sur les bancs de sa classe toute la journée. Une manne pour les psychologues qui voient là une occasion d'accroître leur clientèle. Même si ce n'est pas la généralité, certains thérapeutes n'hésitent pas à augmenter de quelques points le résultat des tests… car plus il y a d'enfants surdoués, plus les salles d'attente de leurs cabinets seront remplies !

CHOISIR
UNE AUTRE SCOLARITÉ

Sortir son enfant du circuit scolaire traditionnel est, pour les parents, un choix difficile qui doit être mûrement réfléchi, après avoir bien analysé la situation : le caractère de l'enfant, les difficultés posées par la scolarité traditionnelle, le cadre familial, le nombre de frères et sœurs, le lieu de vie (milieu citadin ou rural), les envies, les désirs et les motivations prônées par l'enfant, etc. Tous ces paramètres aideront les parents, appuyés sans doute par l'avis d'un psychologue, à prendre la décision convenant le mieux à l'enfant.

Ecoles spécialisées pour enfants surdoués, écoles à pédagogies différentes, instruction suivie à la maison par un professeur ou par les parents, tels sont les quelques choix offerts aux enfants. Mais ces solutions imposent des contraintes et méritent une réflexion très approfondie.

Respecter les règles établies

La France est très en retard dans son attitude et ses choix face à la question des enfants surdoués. Pendant longtemps, les gouvernements successifs ont fermé les yeux devant ce problème, considérant que les enfants précoces étaient intelligents et, par conséquent, ne posaient aucun problème dans le parcours scolaire. Grâce aux associations, au battage médiatique, au développement des tests psychologiques et aux questions soulevées, on s'est aperçu peu à peu que les enfants surdoués étaient plus nombreux qu'on ne l'aurait imaginé qu'ils rencontraient parfois de réelles difficultés et que le cursus classique ne satisfaisait pas certains d'entre eux. C'est la raison qui pousse quelques parents à choisir une autre voie pour leur enfant.

Si le choix de la scolarité est assez libre en France, il faut cependant veiller au respect de quelques lois et principes :

• L'école maternelle n'est pas obligatoire et les places offertes pendant ces premières années sont parfois limitées : dans certains quartiers, les enfants ne seront pas forcément admis, faute de place.

• Les instituteurs peuvent accueillir des enfants dès l'âge de 2 ans mais c'est un choix propre à l'école.

• En théorie, les enfants entrent en CP l'année de leurs 6 ans ; ils doivent avoir soufflé leur 6e bougie avant le 31 décembre de l'année de la rentrée scolaire (un enfant peut entrer au mois de septembre en CP à l'âge 5 ans, à condition d'avoir 6 ans avant le 31 décembre de la même année).

• Rien n'oblige les parents à inscrire leur enfant dans une école dès l'âge théorique de l'entrée au CP ; ils doivent alors déclarer auprès de l'Académie et de la mairie dont ils dépendent, que leur enfant suivra son éducation et recevra son instruction par d'autres moyens (cours par correspondance, à domicile, suivis par les parents ou un professeur particulier).

• L'Éducation nationale autorise un élève à sauter une seule classe, entre le CP et le CM2 et on ne peut faire redoubler deux classes à un élève au cours de ce même cycle. Pour sauter d'autres classes, des dispenses sont nécessaires.

• Les élèves devront avoir obtenu des dispenses pour se présenter au baccalauréat avant l'âge de 17 ans (anniversaire fêté avant le 31 décembre de l'année en cours).

Les classes et les écoles spécialisées

Toutes les structures scolaires et/ou éducatives mises en place spécialement pour les enfants surdoués, partout dans le monde, ont fait l'objet de critiques et de remises en cause. Chaque nouvelle proposition suscite des débats enflammés en France comme à l'étranger, chacun défendant ardemment son point de vue et jugeant celui du voisin totalement déplacé. Sans entrer dans les débats et les polémiques, disons que chacun tente de se servir de sa propre expérience — souvent personnelle — pour en faire un cas général. L'objet de ce livre n'est pas d'effrayer les parents mais de les prévenir des questions et des problèmes qu'ils sont susceptibles de rencontrer. Certains enfants surdoués ne poseront pas plus de problèmes qu'un enfant « normal » et mèneront une vie sociale, familiale et scolaire épanouie.

Les écoles pour enfants surdoués en France sont peu nombreuses. En 1987, fut ouverte la première école primaire pour enfants intellectuellement précoces. « Las Planas » était née à Nice, sous l'influence de Jean-Charles Terrassier, psychologue et grand spécialiste de la question qui constata le manque de structures scolaires adaptées aux enfants surdoués. Cette école fut ouverte trois ans seulement et fermée par un ministre de l'Education nationale fraîchement mis en place. Ce dernier estima qu'une nouvelle réforme sur les cycles scolaires serait suffisante pour répondre aux besoins des enfants surdoués et combler les manques existants !

Aujourd'hui, un seul établissement en France, à Nice, le Lycée Michelet, accueille les enfants, avec pour critère d'intégration, outre un bon dossier scolaire et une sérieuse motivation, surtout l'évaluation de leur quotient intellectuel. Le travail y est constant, la persévérance aussi. Les enfants doivent faire preuve d'assiduité et fournissent un effort d'apprentissage important. En deux ans, ils étudient le programme que les enfants réalisent normalement en quatre ans ; les niveaux de 6e et 5e sont effectués sur une seule année et la 4e et la 3e sur une deuxième année.

Cette concentration d'élèves, tous surdoués, leur permet de se sentir moins seuls, de se considérer comme dans la norme, dans « leur » norme, et de trouver d'autres enfants avec qui partager des centres d'intérêt. Beaucoup d'enfants s'y épanouissent, n'ayant pas trouvé d'autres structures leur offrant une scolarité aussi adaptée à leurs besoins.

Cependant, quelques psychologues émettent des réserves sur ces établissements, notamment à cause de la pression et « l'obligation de réussite » qu'ont les enfants en intégrant ce genre d'établissements.

Autre choix qui s'offre à vous : inscrire votre enfant dans une école qui a évolué vers des classes mixtes, c'est-à-dire des classes où sont regroupés plusieurs enfants surdoués avec d'autres enfants « dans la norme ». Quelques établissements publics, comme en région parisienne le Collège du Cèdre (au Vésinet dans le département des Yvelines) accueillent des surdoués au sein de classes mixtes. D'autres collèges et lycées privés procèdent de façon similaire. (Les associations de parents d'enfants sur-doués pourront vous guider si vous souhaitez de plus amples renseignements sur ces écoles.) Les enfants trouvent dans ces établissements le moyen d'approfondir et de compléter leurs connaissances. Toutefois, les détracteurs de ces écoles avancent qu'un fossé se crée entre les élèves, les enfants normaux se comparant avec les élèves surdoués et se considérant alors comme en retard. Quant aux enfants précoces, ils se voient affublés d'une étiquette de « surdoués » parfois difficile à assumer au sein de leur école. Certains proviseurs ont créé des classes mixtes, et les enfants précoces portent des marques distinctives permettant de les identifier comme « enfants surdoués » au sein de l'établissement. Serait-ce les reconnaître comme normaux ? Les enseignants de ces écoles doivent veiller au respect des différences de chacun.

« Mes parents ont hésité longtemps avant de m'inscrire dans un établissement avec des classes mixtes. Avant, je n'étais pas très à l'aise dans mon ancienne école, j'étais toujours montrée du doigt. L'avantage des classes mixtes, c'est que nous sommes solidaires avec les autres enfants précoces et que nous formons un groupe moins attaquable. Et les professeurs sont plus ouverts, plus à notre écoute » confie une jeune élève.

Pourtant, quelques voix s'élèvent pour émettre des réserves sur la multiplication des classes mixtes, dans un contexte où le corps enseignant n'est pas adapté. En effet, l'attitude des professeurs dans certaines de ces écoles est encore délicate, et certains ont du mal à gérer ces classes à « multiples niveaux ». Ils ont tendance à inverser les rôles et à demander aux enfants surdoués d'expliquer à leurs camarades les exercices demandés ; l'enfant est en classe pour apprendre, non pour enseigner. N'inversons pas les rôles.

Bien connaître son enfant pour faire le bon choix

Pour s'épanouir dans ces structures, qu'il s'agisse d'écoles pour enfants surdoués ou d'une école avec des classes mixtes, tout est une question d'âge, de maturité, de tempérament et de besoins de l'enfant. Choisir une nouvelle forme de scolarité sera une décision toujours bien réfléchie, avec l'approbation de l'enfant qui connaît les risques, les avantages et les inconvénients de telle ou telle structure.

Les écoles alternatives

Si de nombreuses écoles alternatives existent, toutes ne sont pas recommandables. Parmi les écoles dites alternatives ou différentes, les pédagogies « Montessori », « Decroly » et « Freinet » sont les plus connues et peuvent garantir aux parents une certaine sécurité, si toutefois ces méthodes correspondent au tempérament et aux besoins de l'enfant. Dans ces établissements, le rythme quotidien et les priorités sont différents, et l'école semble moins rigide que le système éducatif normal. Ces pédagogies n'ont pas été « pensées » pour les surdoués mais elles peuvent contribuer à favoriser leur autonomie et leur permettre de progresser à leur rythme. L'ouverture d'esprit proposée est aussi un facteur positif pouvant séduire l'enfant. Ces méthodes développent généralement aussi la socialisation et la vie en groupe, avec le respect des règles sociales établies. D'ailleurs, selon leur sensibilité, certains instituteurs d'écoles traditionnelles s'inspirent de ces pédagogies différentes, dans la mesure où l'esprit de la pédagogie est compatible avec le programme scolaire et le rythme de l'école. Autonomie de l'enfant, socialisation, respect de l'autre, gestion de son temps, tels sont les éléments souvent repris par ces instituteurs d'écoles traditionnelles.

Dans les écoles alternatives, les instituteurs proposent une autre manière d'apprendre, avec, une grande ouverture sur le monde. La pédagogie de Decroly attire de nombreux professeurs ; l'enfant y acquiert davantage d'autonomie, apprend la socialisation, le sens critique, et le développement de ses talents artistiques est privilégié.

La pédagogie développée par Maria Montessori (les fameuses « Ecoles Montessori ») n'est accessible qu'au sein d'établissements privés, à un prix inaccessible pour beaucoup. Dans le système Montessori, l'enfant fait ses choix d'apprentissages, se dirige vers les domaines qu'il désire. C'est lui qui sélectionne les activités qu'il souhaite faire et demande de l'aide aux professeurs. Souvent bilingues, ces écoles permettent à l'enfant d'avoir confiance en lui, d'avancer à son rythme, d'obtenir les réponses aux questions qu'il se pose, de répondre à ses désirs de savoir, d'apprendre « à apprendre » et d'acquérir une grande autonomie qui lui permet d'aller chercher l'information par ses propres moyens. On ne répartit pas les enfants par âge, mais deux tranches d'âges forment deux groupes distincts : les enfants de 3 à 6 ans (qui correspondent aux classes de maternelles dans le système classique) et les plus grands de 6 à 9 ans (l'équivalent du primaire). Les enfants en avance peuvent ainsi passer dans le groupe supérieur si leurs compétences et leurs souhaits les y incitent.

A l'encontre de ce système : le problème de la réintégration dans un cursus traditionnel. Après avoir passé six années dans une école différente, le retour dans un structure plus rigide, moins ouverte, est susceptible de perturber l'enfant.

Être vigilant dans le choix de l'école alternative

Vous découvrirez sans doute de nombreuses écoles parallèles, toutes plus attirantes les unes que les autres. Certaines proposent des pédagogies vraiment à part, loin des valeurs et des enseignements acquis dans les écoles traditionnelles. « La Neuville », « Steiner » sont des pédagogies très connues mais parfois difficiles à vivre pour l'enfant. Le suivi des parents sera donc constant et le choix bien réfléchi avant l'inscription de l'enfant. La difficulté majeure de ces écoles est la réintégration de l'enfant dans une structure scolaire normale par la suite.

Lorsque votre choix se porte sur une école alternative, avant d'inscrire votre enfant, vous rencontrerez le directeur de l'établissement, les professeurs, les parents d'élèves, vous pourrez vous rendre à la mairie pour obtenir des informations, téléphoner au ministère de l'Education nationale et, en cas de doute, n'hésitez pas à prendre contact avec l'Association de défense des citoyens contre les sectes qui saura vous guider et vous mettre en alerte avant que votre enfant n'entre dans une école dont la pédagogie est suspecte. L'offre est alléchante et les enfants surdoués, dont la scolarité pose régulièrement problème, font l'objet de toutes les convoitises.

Écoles différentes, attention dangers !

Le discours de certaines publicités peut sembler bien attrayant pour les parents en quête d'un cadre plus adapté aux besoins de leur enfant surdoué. Malheureusement, en France, chaque année, des plaintes sont déposées contre de soi-disant écoles davantage assimilées à des sectes. La vigilance de tous préviendra de telles erreurs qui sont inévitablement marquantes dans le parcours scolaire d'un enfant, déjà perturbé par sa précocité.

L'instruction à la maison

Devant le manque évident de structures scolaires pensées pour les enfants surdoués, certains parents choisissent délibérément de retirer leur enfant de l'école traditionnelle. Ils offrent alors à leur enfant une instruction sur mesure à la maison. Un cas célèbre d'enfant surdoué ayant réussi sa scolarité en ne suivant pas le cursus traditionnel est celui du jeune Arthur. Testé avec un Q.I. de 170, Arthur a passé son baccalauréat à l'âge de 14 ans après avoir été instruit par ses parents qui ont pris en charge toute son éducation. Un pari réussi, certes, mais qui ne convient sans doute pas à tous les enfants.

Aidés et entourés de leurs parents, ces enfants suivent un programme scolaire en général sous forme de cours par correspondance. Ils peuvent ainsi suivre le programme scolaire normal tout en avançant à leur rythme.

Plusieurs facteurs peuvent motiver les parents dans cette prise de décision :

• Lorsque l'enfant vit mal son intégration scolaire : moqueries en classe, décalage trop important entre les élèves, pas de classes adaptées à son niveau, rejet du groupe, extrême solitude.

• Si le lieu de résidence est trop éloigné de l'école ou s'il n'existe pas d'établissement spécialisé à proximité.

• Si la famille compte plusieurs frères et sœurs précoces.

• Lorsque la maman est institutrice (elle s'arrête alors de travailler pour instruire son enfant).

• Quand l'enfant réclame ce mode d'éducation, parce qu'il ne trouve pas satisfaction ailleurs.

Certains parents offrent à leur enfant dès l'âge de quatre ou cinq ans (dès que la précocité est découverte) l'opportunité de se rendre dans une école d'accompagnement privée. Donnant à l'enfant des cours plusieurs heures par semaine, ces écoles lui offrent la possibilité d'avancer à son rythme. C'est une bonne base, un bon début pour qu'il acquière les rudiments de la lecture, par exemple.

Lorsque l'enfant atteint le niveau de CP, ces écoles fournissent souvent des cours par correspondance, pour permettre à l'enfant de poursuivre sa scolarité à son rythme. Ces institutions privées pourront vous aider dans le cas où votre enfant est très en avance sur le niveau qu'il devrait avoir. Car vous ne pourrez, par l'intermédiaire d'un enseignement à distance dépendant de l'Éducation nationale, obtenir les supports éducatifs nécessaires à la scolarité de votre enfant que s'il suit des cours correspondant à son âge.

Le quotidien de « l'école à la maison »

La motivation des parents est toujours grande puisqu'ils y sont rarement contraints mais qu'il s'agit le plus souvent d'un choix délibéré et pris en famille. En revanche, le niveau scolaire et intellectuel du père ou de la mère en charge de suivre la scolarité à la maison doit être relativement élevé pour encadrer l'enfant comme il se doit. Des études d'un niveau supérieur doivent avoir été suivies et il ou elle doit aussi faire preuve d'une bonne culture générale. Parfois, les parents font appel à un enseignant indépendant qui se consacre à plein temps au jeune surdoué. Sa motivation doit alors être forte et l'entente entre l'enfant et cet instituteur, harmonieuse. Il est aussi possible de faire appel à un enseignant seulement quelques heures par jour ou par semaine pour contrôler l'acquisition des connaissances et veiller à ce qu'aucune impasse ne soit faite. Ce dernier pourra aider les parents dans le suivi éducatif et donner des consignes à l'enfant pour son travail. Il sera d'un bon soutien dans l'apprentissage des bases scolaires.

Quelles que soient les raisons qui ont poussé les parents à prendre cette décision, l'enfant doit aussi avoir son mot à dire. Car si sa scolarité est menée sans doute de manière plus sereine, il n'en est pas de même pour ses relations sociales : le manque de contact avec d'autres enfants de son âge doit être compensé par des activités extérieures. La pratique d'une activité extrascolaire, qu'elle soit sportive ou artistique, doit être exercée de manière régulière pour permettre à l'enfant, non seulement de se détendre mais aussi de tisser des liens amicaux qui, hors du contexte scolaire, sont beaucoup plus faciles.

Cette décision a pour principal effet de contraindre un des parents à s'occuper de l'enfant à temps plein. Surveillance des devoirs, suivi du programme scolaire, encadrement quotidien dans le travail. La mère — ou le père — qui a opté pour ce choix, « sacrifie » donc son activité professionnelle si elle en avait une. Cette preuve de reconnaissance est énorme mais elle ne se fait pas sans difficultés puisqu'elle exige, de la part des parents, une réelle motivation et un niveau scolaire suffisant pour veiller à la bonne assimilation des cours. Le père (ou la mère) se positionne alors en seul et unique garant de l'éducation de son enfant ; une responsabilité difficile à assumer lorsque l'enfant grandit. Ce choix influence aussi le jugement que l'enfant porte sur la société et ses cadres scolaires : il va considérer qu'aucune structure établie ne peut satisfaire son besoin et ses envies.

Les enfants se sentent parfois coupables de contraindre leurs parents à s'occuper d'eux à plein temps. Leur sentiment de différence, d'exclusion, cette forme de « mise en marge de la société » est quelquefois difficilement vécue. De même, un enfant qui a été mis à l'écart d'une structure normale se sent dans l'obligation de réussir, pour ne pas décevoir ses parents d'avoir consacré une grande partie de leur vie à assumer sa scolarité.

Le quotidien de ces familles est structuré autour des devoirs. Un rythme s'impose, souvent généré par le père ou la mère qui travaille et les autres frères et sœurs qui partent chaque matin à l'école. L'enfant, aidé ou non par ses parents, doit se mettre à la tâche et suivre le programme qu'il a établi. Il peut se fixer un programme minimum à réaliser chaque semaine ; s'il achève son travail plus tôt que prévu, il peut alors poursuivre sans perdre de temps.

Être réaliste

*« Je ne voyais que des avantages quand on a décidé de retirer notre
fils de l'école, raconte cette mère. Une grande liberté d'apprendre,
dans un cadre sécurisant. Mais au bout d'un mois, devant la complexité des méthodes d'apprentissage et la relation que j'avais avec mon
fils, j'ai changé d'avis et on a dû lui faire réintégrer un établissement
normal l'année suivante. »*

Les avantages de « l'école à la maison »

A première vue, offrir l'instruction à domicile à son
enfant peut sembler une solution idyllique. Il existe en
effet des avantages certains à cette solution sur mesure,
parmi lesquels :

• Une réelle complicité entre l'enfant et ses parents.
Attention ! Cet avantage peut aussi, avec les années, devenir un handicap pour l'enfant qui tisse avec ses parents, sa
mère surtout, des relations anormalement fusionnelles.

• Une grande autonomie de l'enfant dans l'organisation de son travail et la gestion de ses acquis. Des familles
ayant décidé d'instruire elles-mêmes leur enfant à la maison, expliquent comment le rythme de travail était dicté
par l'enfant, qui, certains jours, travaillait dix heures, et
lorsqu'il était fatigué ou n'en n'avait pas envie, s'adonnait
à d'autres activités.

• Un gain de temps à tous points de vue : pas de trajets
pour se rendre à l'école, pas de pertes de temps en classe à
cause des autres élèves, pas de devoirs à faire le soir.

• La possibilité de travailler à son rythme, de person-
naliser les leçons et le niveau de celles-ci, de répondre
aux besoins, aux questions et aux demandes de l'enfant,
de progresser harmonieusement et passer d'un niveau à
un autre sans difficultés.

• Une bonne gestion du temps pour les activités extrascolaires : bien gérer son temps de travail quotidien permet d'accéder à beaucoup plus d'activités.

• La possibilité de partir en vacances hors des semaines imposées par l'Éducation nationale.

• La possibilité de faire l'école à la maison dans n'importe quel lieu, pour une durée ponctuelle, même en dehors du cadre familial, chez les grands-parents par exemple.

• L'acquisition d'une plus grande ouverture d'esprit et l'accès à une plus grande richesse culturelle lorsque les parents sont suffisamment disponibles pour emmener l'enfant visiter des musées, des galeries d'art ou d'autres expositions.

Les inconvénients de cette école à la maison

Très vite pourtant, de nombreux parents changent d'avis et reviennent, tant bien que mal, sur leur décision. Les spécialistes sont très réticents à l'idée de retirer un enfant du cursus scolaire traditionnel. Ils émettent des réserves non pas sur les conditions dans lesquelles l'enfant a accès à l'apprentissage et la manière dont procèdent les parents, mais sur l'aspect social et relationnel que cette solution pose. Le besoin de s'écarter une fois encore du circuit normal et de se marginaliser davantage est mis en avant. Cette solution est cependant parfois conseillée, notamment dans les petites classes et surtout pour les années de maternelle. Mais plus l'enfant grandit, plus cette solution pose des problèmes et peut s'avérer dangereuse.

Parmi les inconvénients majeurs de cette option, nous pouvons citer :

• La possibilité de dérapage dans les relations parents/enfants, notamment si la mère ou le père est trop présent ou, au contraire, absent pour le suivi des devoirs, s'il ne sait pas gérer l'autonomie de l'enfant.

• Le risque de voir l'enfant se désintéresser de son travail s'il manque de concentration, si ses parents ne l'encadrent pas suffisamment ou si ces derniers n'ont pas les bases scolaires suffisantes.

- Le risque de ne pas assimiler certains cours.
- Ne pas être assez motivé pour se mettre à son bureau tous les jours et travailler le temps nécessaire à l'assimilation du cours.
- Le risque de bâcler, de ne pas travailler « intelligemment » ses cours.
- L'absence de notion d'expression orale, pas de récitations devant un auditoire, pas d'exposé oral.
- L'absence de travail de groupe, le manque d'échanges sur le comment et le pourquoi des choses.
- L'absence de notion d'échelle hiérarchique, notamment le respect des professeurs, du proviseur.
- Le risque de se sentir encore plus en marge de la société.
- La manque d'accès aux sorties dans le cadre scolaire, aux activités manuelles, au sport, si les parents n'y prêtent pas attention ou si l'enfant refuse.
- Les difficultés de nouer des relations amicales, si l'enfant ne participe pas à des activités extrascolaires ou si les parents ne lui offrent pas cette possibilité.
- Le danger de ressentir une certaine jalousie de la part des frères et sœurs qui, eux, vont à l'école.
- L'absence d'expériences de vie en collectivité ou en groupe, à moins que les parents n'envoient leurs enfants en colonie de vacances, par exemple.

Un choix en toute connaissance des risques

C'est à chacun, en conscience, de prendre l'option de retirer son enfant de l'école et de l'instruire à la maison. Dans certains cas exceptionnels, ce choix s'est révélé positif pour l'enfant mais, bien souvent, les parents réalisent au bout d'un ou deux ans que cette solution n'est pas adaptée à leur enfant ou à la situation familiale. Il faut alors revenir sur sa décision et faire réintégrer une école au jeune surdoué. Cette étape est difficile et douloureuse à vivre pour l'enfant qui a perdu tout contact avec d'autres jeunes de son âge et qui devra justifier de ces années d'absence. Renouer avec les autres enfants et parvenir à reprendre un rythme scolaire normal est délicat. Les associations seront une aide précieuse pour les parents rencontrant ces difficultés ; ils pourront être guidés vers l'établissement ou la structure la plus appropriée aux besoins de leur enfant.

LES ACTIVITÉS EXTRASCOLAIRES

L'amitié souvent chaotique, l'attirance pour le monde des adultes, la solitude, l'hyperactivité, tels sont les facteurs qui conduisent les parents à s'intéresser aux activités extrascolaires pour offrir à leur enfant surdoué d'autres opportunités de s'épanouir. Et lorsque celui-ci mène une vie sereine et équilibrée, la pratique d'activités lui est utile au même titre que pour n'importe quel autre jeune.

Pratiquées en dehors de l'école et sans rapport avec le programme scolaire, ces activités offrent à l'enfant l'occasion de rencontrer d'autres enfants, de tous âges et de tous milieux. Souvent solitaire, l'enfant surdoué est spontanément attiré vers les activités et les sports individuels, et les loisirs dits « intellectuels » (musique, théâtre, échecs) sont également plébiscités.

Comment répondre à ses besoins ?

Comme tout autre enfant, les surdoués éprouvent le besoin de s'épanouir en dehors du cadre scolaire. Le plus difficile pour les parents est de trouver la manière la plus appropriée de répondre aux besoins de leur enfant. Faut-il lui proposer des activités aux côtés d'autres enfants surdoués ou, au contraire, essayer de lui faire partager des moments de détente, de plaisir et de passion avec des enfants normaux ? L'enfant surdoué a la particularité de savoir s'occuper seul ; il est rarement passif, devant la télévision en train de regarder une émission qui ne lui apporte rien, ou à répéter à longueur de journées « je ne sais pas quoi faire ! »

L'enfant précoce a des centres d'intérêt précis ou, au contraire, s'intéresse à beaucoup de choses différentes. Il donne l'impression d'être toujours en éveil. Ses temps de loisirs, lorsqu'il ne travaille pas, entrent tout de même dans le cadre d'un apprentissage, aussi divers soient-ils. Ces enfants sont souvent moteurs dans leur domaine de prédilection et ils éprouvent un réel plaisir à apprendre. Tout ce qui enrichit leurs connaissances les séduit.

C'est pourquoi, lorsque l'enfant semble totalement désintéressé par une activité, il est bienvenu de lui en proposer une autre qui, elle, sollicitera son attention. A cette condition, l'enfant prendra plaisir à participer aux séances proposées. Inscrire d'office son enfant dans un cours qui ne lui plaît pas et ne correspond pas à ses besoins, risque d'entraîner une rébellion. Il refusera par la suite de participer à une activité du même genre et, lorsqu'il y sera contraint, deviendra un élément perturbateur du groupe.

Il est important d'ouvrir l'esprit de l'enfant, et de lui proposer dans la mesure du possible, dès le plus jeune âge, des animations variées parmi lesquelles il appréciera davantage l'une ou l'autre. Vous découvrirez ainsi ses centres d'intérêts et lui donnerez la possibilité de pratiquer des activités de plusieurs ordres (sportif, artistique, manuel, intellectuel, littéraire...) avant qu'il choisisse sa voie.

Si le jeune surdoué est souvent plus solitaire que les autres enfants, et même s'il ne souffre pas de cette solitude, il éprouve le besoin de contacts et de rencontres en dehors de l'école. Son équilibre psychologique est aussi basé sur ces rencontres extrascolaires.

Quand l'enfant refuse de s'impliquer dans une activité

Certains enfants refusent de participer à une activité extra-scolaire par peur d'être encore différents et mis en marge des enfants de leur âge. Les enfants précoces sont souvent exclus du groupe et relativement solitaires. Une solitude amplifiée lorsqu'ils sont passionnés par la lecture. C'est pourquoi, il convient de parler avec l'enfant de son envie, de ses besoins, de ses motivations, et de lui expliquer quels pourraient être les avantages de participer à une activité avec d'autres enfants. Comme on le ferait pour n'importe quel autre enfant, et plus encore dans ce cas-ci, il ne faut pas le forcer à s'inscrire à une activité s'il ne le désire pas. Il risquerait alors d'en être vite écœuré et de rejeter l'ensemble des activités. De même, l'enfant sera d'autant plus brillant dans un loisir s'il y prend plaisir : c'est l'épanouissement, l'enrichissement et la régularité de son travail qui le feront progresser, non la contrainte.

Trouver une activité adaptée à son enfant

Dans certaines familles, les enfants pratiquent de génération en génération la même activité (la musique, certains sports comme le tennis ou la danse notamment), qui fait en quelque sorte partie de l'éducation et de la tradition familiale. Quand il s'agit d'art, faire participer son enfant dès le plus jeune âge peut révéler un don très tôt. En revanche, forcer un enfant contre son gré à jouer du piano ne peut que le dégoûter de la musique. Lorsqu'un enfant surdoué est aussi pourvu d'un talent artistique inné, la composante familiale et le fait de l'amener tôt sur cette voie, lui permettra de développer ce don de manière précoce.

La découverte d'une passion extrascolaire peut se faire grâce l'entourage proche, l'éducation familiale mais aussi suite à un spectacle, une sortie, une conférence, où l'enfant s'est émerveillé et manifeste le désir de la pratiquer.

Les enfants surdoués manifestent une hyperactivité déstabilisante pour leurs parents. Ils recherchent souvent une stimulation ou à attirer l'attention par une dépense d'énergie constante. Leur proposer des activités répondant à leur demande, qu'il s'agisse d'une activité physique ou intellectuelle, les aide à canaliser leur énergie dans un domaine qui les intéresse. Voir leur enfant s'épanouir et se prendre de passion pour un domaine autre que les études apaise aussi les parents.

Le juste équilibre

« *Ma fille dormait peu, depuis toujours. Elle est ce que l'on appelle un petit dormeur*, raconte cette maman. *J'étais inquiète mais le pédiatre m'a rassurée parce qu'elle ne souffrait de rien, se portait comme un charme et son développement était très normal. Si normal qu'à l'âge de quatre ans, on a découvert sa précocité. Elle manifestait sans arrêt une demande d'apprentissage : apprendre à lire, à écrire, à faire du vélo, du patin à roulettes. Chez nous, on l'appelait Zébulon, parce qu'elle n'arrêtait pas une minute. Toujours en mouvement, toujours en action, que ce soit sur un plan intellectuel ou physique. Petite, jamais elle ne restait passive devant la télévision. Elle cherchait des émissions où elle allait apprendre quelque chose (sur les sciences, ou réclamant des dessins animés en anglais !). A dix ans et demi, elle est en 4ᵉ dans une école traditionnelle, avec un emploi du temps très chargé, pour répondre à sa demande et à ses besoins. C'est elle qui choisit, et nous essayons plutôt de limiter ses choix : le mardi et le jeudi soir, elle suit des cours de piano, le mercredi après-midi et le samedi matin, elle se rend au golf (elle est très douée), et le dimanche elle réclame toujours une sortie : visite d'un musée, d'un site historique, concert classique, ballet... sans compter qu'elle dévore les livres de la bibliothèque municipale où elle se rend régulièrement. Cette vie lui convient je crois, elle semble très épanouie.* »

La place des activités extrascolaires dans le rythme quotidien d'un enfant précoce

L'hyperactivité marquée chez certains jeunes justifie encore plus la pratique d'une activité extrascolaire. Certains enfants n'aiment aucun jeu, ni le sport en général. Leurs hobbies sont limités, leur temps libre est occupé par les devoirs, la lecture, parfois l'informatique, et il semble difficile de les faire participer à une activité extrascolaire régulière.

Cette constatation s'explique par plusieurs raisons :

• L'enfant surdoué ne trouve aucun intérêt, voire même un désintérêt à partager la compagnie d'enfants de son âge et il est souvent difficile (pour des critères physiques) de l'inscrire avec des plus grands.

• L'enfant manifeste un rejet vis-à-vis des groupes en général, et les activités proposées, même dans le cas de sports individuels, mettent en avant la notion de collectif et de contact avec autrui : le rapport professeur/élèves est omniprésent.

• L'enfant surdoué apprécie souvent les activités et les jeux faisant intervenir les notions de réflexion, d'anticipation, de stratégie. Certains sports lui conviendront alors mieux que d'autres et ses préférences iront vers les échecs plutôt que le football. On pourra aussi conseiller certains sports en fonction du tempérament et du caractère des enfants, mais cette remarque est aussi judicieuse pour les enfants « normaux ».

Les parents pourront sélectionner les activités qui mettent plus particulièrement en avant la concentration (tir à l'arc, biathlon…), l'intensité physique brève (arts martiaux…), la stratégie (voile, escalade…), l'anticipation (tennis, kart…), le contact avec la nature (aviron, équitation…) par exemple.

Mais quelle que soit l'activité proposée, l'enfant préférera souvent la solitude et son propre monde imaginaire avec ses livres, son ordinateur et ses encyclopédies, à la confrontation avec des individus avec lesquels il ne se sent pas en osmose.

> « *On me forçait à pratiquer des sports que je n'aimais pas et c'était chaque fois un cauchemar pour moi lorsque le mercredi arrivait ; je traînais les pieds jusqu'aux cours de tennis auxquels j'étais inscrit. Comme je me débrouillais plutôt bien, mes parents pensaient que j'aimais le tennis. Si on m'avait laissé faire, je serais resté à la maison, dans ma chambre avec mes livres. Seul, je ne m'ennuyais jamais, bien au contraire. J'aimais par dessus tout lire dans mon lit, sous mes draps avec une lampe de poche, tard dans la nuit* » avoue Charles, adulte aujourd'hui.

Alors, faut-il obliger son enfant, dans ce cas-là, à participer à une activité contre son gré ? Certains estiment qu'il est bon de le « sortir » de ses livres et de ses manuels pour qu'il développe aussi des capacités physiques. D'autres préfèrent laisser le choix à l'enfant. L'attitude sans doute la plus « maternelle » et aimante consiste à choisir avec son enfant, selon son caractère et ses envies, une activité extrascolaire, physique ou intellectuelle, et qu'il s'épanouisse à travers elle. Et si vous n'y parvenez pas, proposez-lui des distractions et des activités en dehors du cercle scolaire qui aillent dans le sens de ses centres d'intérêts et contribuent à l'ouvrir sur le monde extérieur : visites de musées (peinture, histoire, sculpture, écomusées, maisons d'artistes…), d'expositions, participation à des débats, théâtre, cinéma, choix de livres, découverte du multimédia et d'Internet, sorties en plein air (visite d'aéroports, de fermes, de jardinerie, de lieux d'attraction…) en fonction de ses goûts et de son âge.

Le théâtre

Expression orale, travail en groupe, représentation publique, gestion des émotions, le théâtre développe de nombreuses qualités qui peuvent aider l'enfant surdoué. Les cours d'expression théâtrale, où les enfants ont souvent des âges divers, peuvent être un moyen de communication utile au jeune surdoué. Il doit alors s'adapter, se mettre en avant et jouer avec son personnage.

> « *Je n'osais pas y aller*, témoigne Juliette. *Sur insistance de ma cousine, j'ai accepté pour l'accompagner car je ne voyais aucun intérêt à faire du théâtre. Moi qui suis si timide et discrète, je me suis mise dans la peau d'un personnage et j'ai découvert le plaisir du jeu et de la scène. Même si en dehors du théâtre, je suis toujours réservée, sur scène, j'ai appris à être plus sûre de moi et surtout à ne plus craindre de prendre la parole devant les autres.* »

Cette activité rend l'enfant plus à l'aise en groupe et l'aide à partager une passion avec d'autres, jeunes ou moins jeunes. Il ne s'agit plus alors de niveau (comme le niveau scolaire avec le jugement des notes permanent) qui classifie l'enfant mais de don, de sensibilité, d'expression orale, de communication et de contact avec l'entourage.

Des enfants au quotient intellectuel normal pourront être dotés d'un talent remarquable pour le théâtre. Et l'enfant surdoué peut alors se découvrir des affinités particulières avec eux. De plus, le théâtre est une occasion de rencontres littéraires avec des auteurs classiques ou contemporains susceptibles de séduire l'enfant surdoué. Il peut ainsi allier le plaisir de l'écrit, du texte, avec l'épanouissement sur scène. C'est aussi l'occasion pour l'enfant réservé d'apprendre à contrôler son expression orale, à se déplacer dans un espace restreint, devant un public, et de jouer avec ses émotions.

Les échecs et les jeux de société

Jeu de réflexion, de logique, de patience et d'anticipation, les échecs deviennent, lorsqu'on les pratique régulièrement et surtout chez les jeunes, une activité prenante qui demande de l'entraînement, au même titre qu'un sport. Les enfants surdoués apprécient souvent la stratégie de ce jeu et s'adonnent avec passion aux divers concours où ils peuvent se mesurer aux autres. Les champions internationaux d'échecs sont par ailleurs souvent des personnalités dotées d'un quotient intellectuel supérieur à la moyenne.

« J'ai découvert les échecs à cinq ans et depuis, c'est une vraie passion, raconte Alexandre. Je m'entraîne à l'aveugle avec mon père, c'est-à-dire que je ne regarde pas le jeu, sinon je le bats toujours. »

Les autres jeux de société en général plairont à l'enfant surdoué. Il aimera se mesurer aux adultes, faire preuve de logique, de stratégie, de patience, de réflexion ou d'anticipation. Par ce biais plus ludique, il fait aussi travailler son potentiel intellectuel.

Le sport

Souvent solitaire dans la vie, l'enfant surdoué aura une attirance spontanée pour les sports individuels. En effet, les sports d'équipe impliquent trop de facteurs liés aux groupes (intégration, position dans un groupe, partage de tâches) et font intervenir des enfants du même âge, puisque, en matière sportive, les enfants sont répartis par groupes d'âge. L'enfant surdoué éprouvera davantage de plaisir dans les sports qui ne sont pas des sports d'équipe, quels qu'ils soient : tennis, golf, tir à l'arc, plongée, judo, karaté, danse, gymnastique, équitation…

Même s'il peut participer aux compétitions par équipes, l'enfant est seul en jeu. Selon l'activité sportive choisie, le jeune développera diverses capacités physiques mais aussi, et ce facteur est important dans le cas du jeune surdoué, des facultés intellectuelles : patience, technique, concentration, anticipation, stratégie, responsabilité…

Le sport est aussi pour l'enfant précoce le moyen d'apprendre à gérer l'échec, situation dans laquelle (sauf en cas d'échec scolaire, bien entendu), il se trouve rarement.

« Je jouais beaucoup au tennis, mais j'étais très mauvais joueur, raconte Charles. Je ne supportais pas de perdre et j'ai cassé un nombre incroyable de raquettes. Je les jetais par terre, je les frappais sur le filet. J'entrais dans des furies impressionnantes contre mes adversaires, et j'insultais tous ceux qui étaient présents sur le court. Mes parents m'inscrivaient à des petits tournois pendant l'été mais, à l'âge de quinze ans, j'ai dû arrêter parce que je ne me contrôlais pas du tout et personne ne pouvait me calmer. J'ai appris à gérer autrement ma nervosité mais aujourd'hui, quand je fais des matchs de tennis avec des amis ou en tournoi, je prends énormément sur moi pour me contrôler. »

La régularité, le dialogue, la persévérance aideront l'enfant à appréhender les situations d'échec et à les assumer quand elles se présentent.

La musique

La musique est un domaine qui attire de nombreux enfants surdoués. L'étude du solfège commence parfois très tôt et peut vite devenir une passion. Les enfants précoces qui persévèrent dans la pratique d'un instrument de musique sont généralement très doués, et jouent instinctivement avec une facilité déconcertante. Mais pour cela, ils doivent avoir impérativement une bonne oreille et un sens de la musique inné, mais qu'ils soient surdoués ou non, cela va de soi !

Tous les instruments peuvent être proposés à l'enfant en fonction de ses envies ou de ses goûts. Outre des qualités physiques liées à la musique (« l'oreille »), pratiquer un instrument de musique développe la concentration, l'assiduité, et la patience.

> *« Je suis allée assister à un concert avec ma grand-mère et j'ai eu une révélation pour le violoncelle,* raconte une jeune prodige. *Depuis, chaque trimestre, on part en tête-à-tête assister à un spectacle que l'on choisit ensemble. »*

Les enfants pourront partager cette passion avec de nombreux adultes et, à travers cette pratique, ils seront amenés à découvrir une grande part de notre culture artistique : les grands compositeurs, les différents époques, les instruments, les concerts….

La différence entre le génie et le surdoué

Il semble utile de préciser la différence qui existe entre un enfant surdoué et un génie. Le génie est lié au talent d'un individu pour un art (la musique, la peinture, le sport, l'écriture…) ou un domaine de recherche particulier (les sciences, par exemple). Il s'agit donc d'une notion qualitative qui ne signifie pas pour autant que la personne douée possède un quotient intellectuel supérieur. Le don n'est pas quantifiable. Nous sommes en présence d'un don, pas d'un sur-don.

Certains génies sont surdoués, mais aucun lien entre ces deux facteurs n'a été démontré. Le surdoué est quant à lui différencié par son quotient intellectuel mesurable.

Les tests mesurant le quotient intellectuel d'un sujet se basent entre autres sur le raisonnement, l'aptitude verbale et numérique ; ils ne mesurent jamais les capacités artistiques d'un individu (capacités à se représenter des images, à mémoriser, à voir). Mais les théories d'analyses sont encore contradictoires dans ce domaine.

Certains voient dans les artistes doués (les musiciens, les peintres) les traits caractéristiques des enfants surdoués, tandis que d'autres prétendent que seule l'évaluation du quotient intellectuel peut établir si l'on est surdoué ou non. Le débat est loin d'être terminé et chacun semble camper sur ses positions en attendant une preuve scientifique.

Les surdoués et les artistes doués dans les autres pays

Aux Etats-Unis, des établissements rassemblent des enfants précoces et d'autres enfants doués dans un domaine particulier, qu'il soit artistique (dessin, musique) ou intellectuel (sciences). On ne différencie apparemment pas la précocité intellectuelle du génie artistique. Ces écoles américaines permettent à l'enfant de développer son talent ; mais peut-on employer alors, comme le font certains psychologues américains, le terme d'enfants surdoués pour ceux qui relèvent davantage du génie ?

L'Union soviétique, et les pays d'Europe de l'Est en général, ont développé des écoles pour favoriser les capacités sportives et artistiques des enfants. A une certaine époque, il s'agissait sans doute davantage de redorer les couleurs de l'ex-URSS et de ramener au pays des médailles d'or dans diverses compétitions sportives. Aujourd'hui, la Russie, comme la Chine, propose aux enfants surdoués de nombreuses activités extrascolaires, et des classes aménagées, même si cela est en contradiction avec leur volonté d'égalité pour tous les enfants.

En Israël, on compte aussi de nombreux établissements pour les enfants précoces. Ce pays a ouvert des écoles spécialisées avec cette particularité que les enfants participent à des activités d'intérêt général ; par ces tâches imposées, les enfants prennent conscience des budgets importants nécessaires au bon fonctionnement de leur établissement.

Au Japon, on ne parle pas en termes de quotient intellectuel. La sélection des meilleurs élèves survient au niveau du lycée et l'on considère alors que seul le travail fourni au cours des premières années, garantit la réussite de hautes études.

Les Pays Scandinaves refusent de proposer aux enfants un programme spécifique mais les aident en revanche à bénéficier de cours d'enrichissement et d'approfondissement en dehors du temps de l'école.

Les associations d'enfants surdoués

Si les parents et les enfants se sentent un peu isolés et ont besoin d'écoute, de renseignements, parfois d'être guidés, ils peuvent rejoindre une association de familles d'enfants surdoués.

> « *Je me suis sentie moins isolée, moi qui élevais seule mes deux enfants, dont l'un est surdoué,* raconte cette jeune femme. *J'ai trouvé des personnes à qui parler et qui ont su trouver les mots pour me rassurer, me guider et me conseiller lorsque j'ai dû prendre des décisions importantes pour la scolarité de mon enfant* ».

Ces associations, ouvertes aux parents et aux enfants, leur permettent de participer à des réunions, des débats, les tiennent informés de l'actualité et des nouveautés concernant les enfants surdoués, les aident à trouver des solutions à leur problème, à rencontrer des spécialistes et des psychologues susceptibles de répondre à leurs attentes. Dès lors que l'on sort de la normalité, il existe peu de structures prévues pour être à l'écoute des familles, répondre à leurs interrogations. Les associations sont présentes et prêtes à les aiguiller dans leurs démarches et leurs choix.

Les centres de loisirs
pour enfants précoces

En France, il existe peu d'associations et de lieux de loisirs pour les enfants surdoués. Aux Etats-Unis, on propose aux enfants, sur sélection de leur quotient intellectuel et de leurs capacités, de suivre des formations pendant l'été ou tout au long de l'année. Ces centres spécialisés offrent aux enfants à la fois des cours en relation directe avec le programme scolaire mais ils peuvent aussi participer à toutes sortes d'activités annexes (théâtre, ateliers d'écriture...). En revanche, d'autres écoles centralisent leurs activités sur le programme scolaire ou une activité particulière, les mathématiques, par exemple. Certaines écoles privées proposent même aux enfants précoces de suivre en quelques semaines, grâce aux programmes spéciaux d'été, l'intégralité du cursus d'une année scolaire.

En France, à Paris, un centre accueille les enfants le mercredi et le samedi et leur propose une quarantaine d'activités très variées : le théâtre, le piano, la chimie, le travail du bois, l'informatique, le dessin, la musique, etc. Des activités manuelles, artistiques et littéraires qui ont pour objectif d'amener les enfants vers des matières et des domaines qu'ils n'auraient sans doute pas découverts dans un univers purement scolaire. Il s'agit davantage d'un enrichissement culturel et d'une ouverture sur le monde. Ils sont accueillis sur étude de leur dossier et bien entendu, après évaluation de tests de quotient intellectuel. Ces structures sont aussi un lieu de rencontres et d'échanges pour les parents.

Faut-il favoriser les échanges entre enfants précoces ?

Certains parents hésitent à faire participer leur enfant à des activités réservées aux seuls enfants surdoués. Est-il préférable de laisser son enfant en contact avec des enfants précoces ou au contraire, de développer un tissu relationnel, notamment par des activités parascolaires, avec des enfants au quotient intellectuel normal ?

> *« Je ne voulais pas que mon fils soit toujours et encore au contact d'enfants surdoués. Je l'ai toujours considéré comme un enfant en avance, intelligent, mais surtout comme un enfant normal, même s'il avait trois ans d'avance à l'école. Il semblait heureux, n'avait pas envie de rencontrer d'autres surdoués. En revanche, il pratiquait d'autres activités, sportives notamment, en dehors de l'école et avec des enfants normaux. Adulte aujourd'hui, il dit ne rien regretter à ce niveau-là. Nous aurions peut-être agi différemment s'il avait refusé ces activités et s'il avait souffert d'une grande solitude. »*

Une démarche qui semble tout à fait sensée de la part des parents. Dès lors que l'enfant ne souhaite pas adhérer à ces associations, qu'il pratique d'autres activités en dehors de l'école, qu'il a des amis et semble heureux et équilibré, rien ne sert d'insister. En revanche, s'il est très isolé, s'il se sent toujours exclu et différent, ces associations regroupant des enfants précoces et leurs parents pourront satisfaire ses besoins.

Les associations lui redonneront confiance en lui, l'aideront à se faire des amis, à renouer le contact avec des enfants « comme lui » et, dans la mesure où la fréquentation avec les autres enfants surdoués n'est pas excessive, il ne s'enfermera pas dans un ghetto supplémentaire. C'est sans doute un bon tremplin pour l'équilibre de l'enfant, dans la mesure où il tente, en dehors de ce cadre, de mener une vie sociale normale. Il faut que l'enfant ait conscience qu'il est essentiel pour lui à la fois de s'enrichir et de s'épanouir avec des enfants surdoués s'il le désire, mais aussi et surtout, de partager des moments avec d'autres enfants « normaux ». C'est à cette condition seulement qu'il deviendra un adulte épanoui et sociable. Les activités extrascolaires et les associations sont deux paramètres qui peuvent l'aider à atteindre ce but.

DES SOUHAITS
POUR LES FUTURS
ENFANTS SURDOUÉS

Alors, et si votre enfant était surdoué ? Il serait un enfant comme un autre, avec cette chance supplémentaire de posséder des capacités intellectuelles hors du commun. Une chance que vous tenterez de pousser et de guider pour l'aider à s'épanouir. Des facultés que vous pourrez essayer de développer et mettre à profit. C'est un bagage inestimable qu'il ne faut pas gâcher. Vous rencontrerez des questions, des doutes, des angoisses, peut-être un peu plus qu'avec un enfant « dans la norme ». Mais si vous l'entourez d'amour et si vous êtes vigilants, il deviendra un adulte très heureux.

Etre surdoué, cela ne se lit pas sur le visage d'un enfant. Les enfants précoces se rencontrent dans toutes les catégories socioprofessionnelles et partout dans le monde. Pendant longtemps, ces mots « surdoué » ou « précoce » suscitaient la méfiance et l'interrogation. Espérons que, dans les prochaines années, tout le monde aura compris l'importance de tenir compte de la précocité d'un enfant dans son éducation.

Et s'il convient de considérer malgré tout ces enfants comme différents, cette différence doit faire l'objet d'une attention particulière, notamment dans le système scolaire. Que l'on s'inspire, pourquoi pas, des écoles en milieu rural où les enfants d'âges divers sont regroupés en une seule classe : ils avancent ainsi plus facilement à leur rythme, ont davantage d'autonomie dans leur travail et leur progression est personnalisée. Aujourd'hui en France, comme dans la plupart des pays occidentaux, les enfants sont regroupés par âge, quel que soit leur niveau avec l'unique but que 80 % d'entre eux obtiennent le baccalauréat… peu importe comment. Que des classes soient adaptées pour ces enfants, des écoles aménagées pour ceux qui le désirent ou en ont besoin ; que la souplesse du système scolaire permette à ces enfants de rester scolarisés dans un établissement normal lorsque cela leur convient, même s'il faut sans doute prévoir quelques aménagements :

- moins de contraintes d'âges ;
- souplesse et adaptation des emplois du temps et des matières enseignées ;
- possibilité d'élargissement, d'enrichissement et d'approfondissement dans de nombreuses matières ;
- ouverture des activités extrascolaires à ceux qui le désirent et dans de nombreux domaines : artistique, sportif, ludique, littéraire, culturel ;
- formation des enseignants aux problèmes et aux questions posées par les enfants surdoués.

Que l'on cesse d'enfermer les enfants, qu'ils soient ou non précoces, dans des schémas éducatifs stricts dans lesquels ils ne peuvent pas assouvir leur soif de connaissance. Prenons exemple sur cette jeune fille de 16 ans qui remercie ses professeurs qui ont presque tous accepté de la laisser lire en silence dans la classe pendant que les autres finissaient leur exercice ; un droit qu'elle réclamait à chaque rentrée scolaire.

La formation des instituteurs et des professeurs est aussi un point essentiel. C'est à cause d'un manque d'information évident que tous, professeurs et éducateurs, se trouvent désarmés devant les problèmes que posent les enfants surdoués. Les instituteurs comptent presque tous, un jour ou l'autre, un élève surdoué sur les bancs de leurs classes. Parfois dans l'ignorance, ils ne s'en aperçoivent pas ou lorsqu'ils prennent conscience de la précocité de leur élève, ne savent pas comment agir : aider l'enfant et ses parents, l'autoriser à prendre des initiatives, lui laisser davantage d'autonomie, le conseiller dans ses devoirs, dans ses lectures, le guider, le pousser à aller plus loin, lui donner des adresses utiles (centres, associations, psychologues…).

Permettre à l'enseignant de moduler ses cours, d'avoir une écoute et un interlocuteur à qui exprimer ses besoins, tels sont aussi les points sur lesquels cette formation devrait s'orienter. Mais cette solution n'est pas envisageable dans des classes à effectifs surchargés.

Pourquoi ne pas imaginer la création d'un bureau, dépendant du ministère de l'Éducation nationale, qui répondrait aux questions soulevées par les instituteurs, les directeurs d'établissements, les enfants et les parents, mais qui pourrait aussi envoyer une aide scolaire, formée spécialement à la psychologie des enfants surdoués, quelques heures dans une classe pour aider l'enseignant et l'élève à trouver leur rythme et leurs aménagements ? Que les cas ne restent pas isolés, mais que l'on établisse des lignes directrices valables pour tous les enfants, qu'ils résident n'importe où en France et quelle que soit la situation socioprofessionnelle de leurs parents.

Depuis quelques années, les médias ont pris le relais des associations et évoquent les questions liées aux enfants surdoués, même si les débats encore sont parfois trop caricaturaux et alarmistes. Mais ces émissions et ces articles ont au moins le mérite d'exister et de faire avancer les choses. En France, au début des années 70, on ne parlait pas des surdoués.

> « *Personne ne parlait des enfants surdoués, ni les professeurs, ni les médias,* témoigne une maman. *Ma fille a un Q.I. de 140 et a suivi toute sa scolarité sans problèmes en apparence. Je voyais qu'elle était en avance mais je ne la considérais pas comme surdouée ; je n'ai réalisé que des années plus tard qu'elle était une enfant précoce. Et je n'aurais sans doute pas agi ainsi, j'aurais consulté un psychologue et peut-être changé d'option pour sa scolarité si j'avais été en mesure de cerner la complexité psychologique et affective de ces enfants-là.* »

Il est indispensable, tant pour les parents que pour les enfants, que les choses bougent. En trente ans, poussées par les associations de parents d'enfants précoces, les mentalités changent. Tous mesurent peu à peu la complexité du problème et s'attachent à y accorder davantage d'importance.

Une attention qui devient urgente pour que l'on n'entende plus jamais un témoignage comme celui de cette femme, dont l'enfant était entré à 8 ans en classe de 6e au début des années 70 :

> « *Cela faisait quelques semaines que mon fils était rentré dans son nouveau collège. Un soir, à la sortie des classes, je l'attendais comme chaque jour. Cinq minutes, dix minutes, un quart d'heure et je ne voyais toujours pas mon fils. Quand il est arrivé, quelques instants après, il m'a dit, un peu hagard : les professeurs m'ont convoqué dans la salle des professeurs... ils s'étaient réunis parce qu'ils voulaient voir la tête que j'avais, savoir si je portais des lunettes... et m'ont posé plein de questions sur moi, mon travail...* »

Non, messieurs les professeurs, le surdoué n'est pas une bête de cirque. Une simple différence qu'il convient de traiter comme n'importe quelle autre.

Et quel est l'avenir pour nos enfants surdoués ? Ils deviendront des adultes épanouis, et auront un avenir normal pour la plus grande majorité d'entre eux que les parents, heureusement, auront su entourer d'amour et élever dans un bon équilibre affectif. Les autres, quelques cas malchanceux, n'auront pas supporté la pression imposée par leurs parents, leurs amis, le système social et/ou scolaire et refuseront, arrivés à l'âge adulte, de se plier à des normes pour satisfaire le besoin de réussite exigée par leurs parents et leur entourage en général. Certains abandonneront tous leurs projets et vivront enfin pour eux, sans pression, seulement pour assouvir leurs envies et non pour faire satisfaire celle des autres. On ne peut qualifier cela d'échec mais seulement d'une aspiration au bonheur, à vivre sa propre vie, ses propres expériences et ne pas correspondre au schéma établi que de nombreux parents échafaudent : « l'enfant surdoué sera un adulte brillant, et réussira professionnellement. »

Enfin, d'autres surdoués n'auront pas eu la chance de passer des tests d'évaluation de quotient intellectuel pendant leur enfance et découvriront que leur Q.I. est au-dessus de la norme seulement à l'âge adulte. Ils auront sans doute quelques regrets mais pourront au moins expliquer certaines situations et expériences vécues plus ou moins douloureusement au cours de leur enfance. Mais pour être un adulte épanoui, que l'on ait été un enfant précoce ou non, il faut une grande part de chance, dans ses rencontres et les opportunités qui se présentent tout au long de la vie, mais aussi et surtout grandir au sein d'un univers familial serein, équilibré et recevoir de l'amour de la part de ses parents.

Les parents d'enfants surdoués doivent se poser les bonnes questions. Que peut-on souhaiter pour son enfant : qu'il soit épanoui et heureux ? Qu'il brille en société et réussisse de hautes études au détriment d'une vie affective stable ? Quels que soient les choix faits par les parents pour l'éducation et la scolarisation de leur enfant, ils impliqueront toujours des compromis et des sacrifices. Mais une seule chose est sûre : peu importe les options prises par les parents pour leur enfant, celui-ci ne sera un enfant bien dans sa peau que s'il est entouré d'amour. Un enfant a beau être né avec un quotient intellectuel élevé, il reste avant tout un enfant en quête d'amour. Sans doute même plus que n'importe quel autre enfant. Une quête vitale pour son épanouissement et pour lui garantir de trouver un équilibre affectif plus tard.

ANNEXES

Pour vous aider

Les sites Internet

Chaque jour, de nombreux sites se créent sur Internet. Dans l'impossibilité de référencer ici tous les sites consacrés aux enfants surdoués et à l'éducation en général, voici quelques pistes qui vous ouvriront d'autres liens vers des sites, en fonction des informations que vous cherchez. Internet est une bonne base lorsque l'on recherche des renseignements sur les enfants précoces, car l'ordinateur permet de relier des personnes concernées par le même problème aux quatre coins du globe. C'est un moyen aussi d'échanger et de rencontrer, via la Toile, d'autres interlocuteurs. Mais méfiance aussi... si cette ouverture sur le monde est un point positif dans l'accès à l'échange, c'est aussi une porte ouverte vers des personnes peu scrupuleuses. Les sectes, par exemple, sévissent sur Internet. Vérifiez toutes les informations que vous trouverez sur Internet concernant les établissements scolaires ou les activités parascolaires, auprès d'organismes compétents. Les sites suivants vous guideront vers d'autres pistes :

> http ://www.douance.org
> http ://www.st-kilda.com
> http ://www.evopsy.org

> http ://www.imedia.fr
> http ://www.enfance.com

Les associations

Les associations ci-dessous vous livreront des informations, des conseils, des études, des adresses (de psychologues, d'établissements…) lorsque vous êtes confrontés à des difficultés ou simplement si vous vous posez des questions sur les aptitudes de votre enfant. Ces associations se battent aussi pour faire mieux connaître la précocité et les conséquences que celle-ci a sur l'épanouissement des enfants.

— **A.N.P.E.I.P** (Association Nationale pour les Enfants Intellectuellement Précoces). Il existe des ANPEIP dans presque toutes les régions.

Siège social : 26 avenue Germaine, 06000 Nice. Tél. 04.93.26.33.20.

— **MENSA** : association internationale, MENSA regroupe des enfants intellectuellement précoces devenus adultes, dans le monde entier. Vous trouverez leurs différentes adresses et de plus amples renseignements sur leur service minitel : 3615 MENSA.

— **A.L.R.E.P** : Association Loisirs, Rencontres et Education pour les enfants et adolescents Précoces. Agréée par le ministère de la Jeunesse et des Sports, l'association organise des camps de vacances et des visites de sites scientifiques et industriels.

Mr. Paul Merchat : 15 avenue Franklin Roosevelt, 30000 Nîmes.

— **A.F.E.P** (Association Française pour les Enfants Précoces). L'AFEP vous guidera dans vos choix et vous orientera, entre autres, vers les psychologues spécialisés dans la question de la précocité intellectuelle.

AFEP : 13 bis rue Albert Joly, 78110 Le Vésinet.

— Le **centre JEUNES VOCATIONS** artistiques, **littéraires et scientifiques** à Paris, accueille tous les mercredis et samedis après-midi des enfants précoces dans une quarantaine d'ateliers (activités littéraires, artistiques et scientifiques) avec des pédagogues et des enseignants. Soutenue par la Fondation de France, l'association « Jeunes Vocations artistiques, littéraires et scientifiques » est régie par la loi de 1901, sans but lucratif. L'association ouvre ses portes aux enfants dès l'âge de 7/8 ans et propose des activités en dehors de tout programme scolaire (travail sur le bois, chinois, théâtre, mime, ateliers d'écriture, électronique, musique, dessin, astrophysique…).

Jeunes Vocations artistiques, littéraires et scientifiques : 14 bis rue Mouton-Duvernet, 75014 Paris. Tél.01.45.40.95.61.

Des écoles et des pédagogies différentes

— **L'O.D.I.E.P** (Office de documentation et d'information de l'enseignement privé) vous conseillera sur le choix d'une école adaptée à votre enfant.

O.D.I.E.P : 45 avenue Georges Bernanos, 75005 Paris. Tél. 01.43.29.90.70.

— **Le Centre national de documentation sur l'enseignement privé** vous communiquera les adresses des écoles privées et vous orientera vers des établissements privés spécialisés.

Centre national de documentation sur l'enseignement privé : 20, rue Fabert, 75007 Paris. Tél. 01.47.05.32.68.

— Pour obtenir les adresses des écoles **DECROLY**, contactez l'**Ecole de l'Errmitage** :

45 Drève des Gendarmes,

1080 Bruxelles, Belgique.

Tél. 00.32.2.374.17.03.

— Pour les adresses des écoles **MONTESSORI**, contactez l'**AMF** (Association Montessori de France) :

10 rue de Saint-Pétersbourg,

75008 Paris.

Tél. 01.42.93.47.47.

— Pour les adresses des écoles **FREINET**, contactez

l'**ICEM** pédagogie Freinet (Institut coopératif de l'école
moderne Freinet) :
  18 rue Sarrazin,
  44000 Nantes.
  Tél.02.40.89.47.50.

Bibliographie

Pour en savoir plus

— *Guide pratique de l'enfant surdoué, comment réussir en étant surdoué?*, Jean-Charles Terrassier et Philippe Gouillou, E.S.F. Editeur, 1998.

— *Les enfants surdoués ou la précocité embarrassante,* Jean-Charles Terrassier, E.S.F. Editeur, 1994.

— *Mon école buissonnière,* Arthur, Pocket, 1993.

— *Votre enfant est-il intellectuellement doué? Traité sur la précocité intellectuelle,* Elsa Goïame-d'Eaubonne, L'Harmattan, 1997.

— *Surdoués, Mythes et réalités,* Ellen Winner, Aubier, 1997.

— *Le livre de l'enfant doué,* Arielle Adda, Solar 1999.

— *150 tests d'intelligence. Pour mesurer et développer sa capacité de raisonnement,* de J.E. Klausnizter, Marabout, 1992.

— *Une autre école pour votre enfant : les pédagogies différentes,* Laure Alcoba et Agnès Beaudemont-Dubus, Albin Michel, 1999.

— *Tous les enfants peuvent réussir,* Antoine de la Garanderie et Geneviève de Cattan, Marabout, 1999.

— *Réussir, ça s'apprend,* Antoine de la Garanderie et Daniel Arquié, Bayard, 1994.

— *Apprendre sans peur*, Antoine de la Garanderie, Chronique Sociale, 1999.

Au catalogue
Marabout

Enfants - Education

3170

Imprimé en Allemagne par Elsnerdruck

pour le compte des
Nouvelles Éditions Marabout
D.L. n° 6530 / octobre 2000
ISBN : 2 - 501 - 03370 - 1